DANS LA COLLECTION « MARIOLOGIE »

les icônes

Sœur Maria Donadeo
du monastère russe de Rome

les icônes

troisième édition

MÉDIASPAUL & ÉDITIONS PAULINES

L'original de ce livre a paru aux *Editions Morcelliana* de Brescia sous le titre *Le Icone*.
Andrée M. a fait la traduction sur la deuxième édition.

© Pour la langue française : *Médiaspaul*, 8, rue Madame 75006 PARIS.
ISBN 2-7122-0175-2

POUR LE CANADA

Editions Paulines, 3965 boulevard Henri-Bourassa, Montréal.
ISBN 2-89039-775-0
Bibliothèque nationale du Québec
Bibliothèque nationale du Canada
Dépôt légal : 2ᵉ trimestre 1988

INTRODUCTION

L'intérêt témoigné aux icônes n'a fait que croître, même en Occident, durant ces dernières décennies. Nous nous en apercevons dans notre petit monastère russe où l'on nous commande de plus en plus fréquemment soit des icônes peintes comme autrefois à la détrempe à l'œuf, soit des reproductions sur bois, soit des cartes qui les représentent. S'accroît aussi en même temps le nombre des questions posées sur la signification des icônes, sur les particularités de certaines, sur le nom qui les désigne, sur les livres qui en parlent.

Cet ouvrage désire répondre en partie à ces demandes, d'autant plus que les livres traitant de ce sujet, peu nombreux, sont souvent des traductions d'œuvres publiées en U.R.S.S. Ces dernières, à côté d'excellentes descriptions *artistico-techniques , ne perçoivent guère la signification de l'icône, heureux encore si elles ne mentionnent pas « une légende chrétienne »* [1].

Les icônes, « représentations visibles de spectacles mystérieux et surnaturels » selon l'antique formule de Denys l'Aréopagite, tiennent une place importante dans la Tradition spirituelle orthodoxe. Si nous voulons hâter l'union entre les Eglises d'Orient et d'Occident — qui, pendant le premier millénaire, possédaient en commun le vivant langage de l'iconographie — nous devons donc les connaître, les apprécier, comprendre ce « trésor spirituel » qu'elles représentent pour les chrétiens de tradition byzantine.

Ce livre comprend deux parties. La première présente brièvement et théoriquement l'icône dans ses éléments religieux, historiques et artistiques. La seconde traite en détail les divers types d'icônes en s'attardant sur celles dont on a inséré les reproductions en couleurs. Celles-ci, sauf rares exceptions, ne reproduisent pas des pièces de musée, mais des icônes encore vénérées dans les églises et les familles. Quelques-unes même possèdent toujours ce revêtement métallique qui, condamné par les vrais artistes et enlevé dans les musées, reste pourtant la forme la plus fréquente sous laquelle on présente encore de nos jours les icônes dans les églises de Grèce et de Russie.

---

1. Par exemple : M. ALPATOV, *Histoire de l'art russe,* Paris, Flammarion, 1975.

L'icône n'est pas le produit d'une intuition, ni la figuration d'une impression de l'artiste. Elle est le fruit d'une tradition. C'est une œuvre qui, avant d'être peinte, est profondément méditée, patiemment élaborée et cela d'après des générations de peintres. Un expert soviétique[2] a lui-même fait remarquer que « l'icône n'est pas un tableau : sur l'icône est représenté non ce que le peintre a devant les yeux, mais un certain prototype auquel il doit se conformer. La vénération des icônes dérive de la vénération pour le prototype. On baise les icônes, d'elles on attend des guérisons. Elles sont vénérées parce que représentations du Christ, de la Vierge, des saints. Les icônes font partie des célébrations liturgiques. L'iconographie est, d'une certaine façon, un art rituel. La révérence due aux icônes et leur création ont été strictement réglementées par le VIIe Concile œcuménique. Les gens d'Eglise se considéraient comme les vrais créateurs d'icônes, les artistes étant seulement des réalisateurs de leurs idées ».

On notera que, dans ce petit volume, soit par suite du choix des icônes encartées, soit à cause des références à des savants, la Russie est prépondérante. Ceci est compréhensible puisque ce livre traite de la tradition byzantine, celle que je connais le mieux ; mais cela provient aussi de motifs plus généraux :

---

2. M. ALPATOV : *Drevnerusskaja ikonopis* (en russe = Antique iconographie russe). Introduction en russe et en anglais, p. 6.

1 - *Les plus belles icônes byzantines venant de Constantinople (par exemple la Mère de Dieu de Vladimir) sont aujourd'hui conservées en U.R.S.S. La lutte iconoclaste des VIIIe et IXe siècles, les événements historiques, en particulier l'invasion musulmane, les vols commis pendant les croisades, etc., ont terriblement appauvri le patrimoine iconographique des régions entourant la capitale de l'Empire romain d'Orient et celui des terres gréco-balkaniques.*

2 - *A cause du nombre de ses fidèles, l'Eglise orthodoxe russe a été pendant des siècles, et reste encore, plus importante que toutes les autres Eglises orthodoxes (d'Antioche, de Jérusalem, grecque, roumaine, bulgare, etc). Les icônes y sont donc proportionnellement plus nombreuses.*

3 - *L'Orthodoxie russe a eu de très grands iconographes, des génies de notoriété mondiale tels que les moines Roublev, Denis, Théophane le Grec.*

4 - *Fait significatif : au moment où l'UNESCO prit l'initiative de publier des ouvrages en vue de présenter au monde entier l'Art de certains peuples, l'Union des Républiques Socialistes Soviétiques édita justement un album de chefs-d'œuvres religieux, c'est à-dire des icônes [3].*

5 - *Par certains aspects douloureux tels*

---

3. URSS. *Icônes anciennes de Russie*. Grand album, 9e de la collection UNESCO de l'art mondial, Paris, 1958.

que transformations d'églises en musées, confiscations de collections privées sous couvert de propriété d'Etat, réquisitions forcées de tableaux sous prétexte de restauration avec envoi d'experts dans de nombreuses régions, les circonstances historiques ont permis l'étude approfondie d'icônes centenaires dont la beauté — après enlèvement des rjse métalliques et des parties noircies par la fumée et l'encens formant couches sur le vernis extérieur — étonna ces mêmes restaurateurs qui firent part de leurs « découvertes » iconographiques dans diverses publications. Normalement dans les églises toujours ouvertes au culte, les fidèles ne tolèrent pas que leurs icônes soient enlevées, même temporairement, pour être nettoyées ou étudiées.

Dieu sait tirer le bien de tout ! Félicitons-nous donc si « les icônes de l'ancienne Russie ont révélé le monde intérieur de l'homme, la pureté, la noblesse de son âme, sa capacité de sacrifice, la profondeur de sa pensée et de ses sentiments », comme l'écrit le peintre et académicien soviétique Igor Grahar, Directeur du Laboratoire national de restaurations. Il ajoute plus loin : « Pour la première fois (sous des couches de vernis noirci et des refontes) est apparu un art brillant qui nous touche et nous enchante par l'exquise harmonie de ses couleurs, par le rythme et la sûreté de ses lignes, par le caractère profondément inspiré de ses images. » La peinture d'icônes de l'ancienne Russie est « partie intégrante du trésor constitué par l'héritage culturel de l'humanité entière » [4].

Pour comprendre les icônes il faut les considérer sous un triple aspect : connaissance scientifique, valeur artistique, vision théologique.

Paul VI, s'adressant aux artistes réunis le 7 mai 1964 dans la Chapelle Sixtine, les appela maîtres dans l'art de « transvaser le monde invisible dans des formules accessibles et intelligentes ». Or l'icône est justement la présentation des dogmes sous une forme visible. Elle est même un lieu de présence et de rencontre spirituelle, un signe de grâce.

L'icône nous montre l'homme tel que Dieu l'aime, transfiguré par ses dons ; c'est une invitation à nous ouvrir aux réalités spirituelles, à prier.

« Liée intimement à l'économie du salut, l'image sacrée met en relief les deux aspects principaux de l'œuvre rédemptrice du Christ : la prédication de la vérité et la communication de la grâce de Dieu » [5].

Dans notre civilisation du concret, et souvent de la dispersion, la présence de l'icône nous aide à réaliser notre vocation chrétienne qui est de reproduire en nous l'image du Christ, de devenir son « icône ».

« Christ, vraie Lumière qui éclaires et sanctifies tout homme venant au monde, que se révèle sur nous la lumière de ta Face, afin

---

4. Dans l'introduction de l'album cité précédemment.
5. T. SPIDLIK, *La spiritualité de l'Orient chrétien*, Rome, 1978, p. 301.

*que nous voyions en elle la lumière inacces-
sible. Et dirige nos pas vers l'accomplissement de tes commandements, par l'intercession de ta Mère toute pure et de tous les saints.
Amen »* [6].

Sœur MARIA
du monastère russe Uspenskij [7]

6. Antique prière byzantine par laquelle se conclut chaque jour l'Heure de Prime. Pour les prières données en
français dans ce livre nous avons adopté les traductions
données dans le *Livre de prières de l'Eglise orthodoxe*,
par CHARALAMBIDIS et NÉLIDOW, Paris, 1973 ; *La prière
des Eglises de rite byzantin*, par E. MERCENIER, Cheve-
togne, 1937-1953 ; et *Pentecostaire*, par D. GUILLAUME,
Rome, 1978.

7. En slave liturgique *Uspenskij* signifie « de la Dormition de la Bienheureuse Vierge Marie » (fêtée le 15 août).
C'est un monastère catholique de rite byzantin, sis Via
della Pisana, 304, 00163 Rome.

INDEX DE QUELQUES TERMES SPECIFIQUES

1

Qu'est-ce qu'une icône ?

1

L'icône

Le terme « icône » dérive d'un mot grec, *eikon*, qui signifie « image » au sens le plus étendu. En histoire de l'art, cependant, et aussi dans le langage populaire, le mot icône est employé pour désigner une peinture, souvent portative, à sujet religieux, exécutée sur une planche de bois selon une technique particulière et d'après une tradition transmise de siècle en siècle. L'Orient byzantin est la patrie de l'icône, et il a conservé soigneusement des chefs-d'œuvre artistiques, parvenus jusqu'à nous, dont la valeur spirituelle est immense.

Sur les icônes figurent Jésus-Christ, la Mère de Dieu, des anges, des saints, ou d'autres sujets religieux ; mais l'icône est bien plus qu'une simple figuration ; seule l'incarnation de Notre Seigneur l'a rendue possible.

Fondement de l'icône : l'Incarnation

Dans l'Ancien Testament Dieu avait interdit d'essayer de Le représenter en image. Des textes bibliques (Deut 4, 12 et 15) nous disent que, même au moment où l'on entendait la voix de Dieu, nulle image de Lui n'était apparue. Et combien de reproches a-t-il faits à chaque tentation sans cesse renaissante de sculpter et d'adorer l'idole ! Seul l'art décoratif, surtout géométrique, exprimait le sentiment de l'infini. Nous le voyons encore de nos jours chez les Juifs et chez les Musulmans. La représentation des anges avait été seule autorisée dans l'Ancien Testament (Ex 25, 17-22) et l'on voyait sculptée sur l'arche d'alliance la représentation des chérubins, comme pour annoncer l'événement futur.

L'heure de la naissance terrestre du Fils de Dieu est celle de la naissance de l'icône. Jésus-Christ, en effet, n'est pas seulement le Verbe de Dieu, mais il est aussi son image : « Le Christ est l'image (eikôn) du Dieu invisible » (Col 1,15). Jean Damascène, le théologien poète mort en 749, a beaucoup approfondi ce thème dans ses trois *Traités pour la défense des saintes icônes* pendant l'époque iconoclaste. Il explique ainsi le dépassement de l'interdiction de l'Ecriture de représenter le Dieu invisible : « Quand tu verras Celui qui n'a pas de corps devenir homme à cause de toi, alors tu pourras représenter son aspect humain. Puisque l'Invisible est devenu visible en prenant chair, tu peux exécuter l'image de celui qu'on a vu. Quand Celui qui est l'image consubstantielle du Père s'est dépouillé, assumant l'image de l'esclave (Phil 2, 6-7), devenant ainsi limité dans la quantité et la qualité pour avoir revêtu l'image charnelle, alors peins (...) et expose à la vue de tous Celui qui a voulu devenir visible. Peins sa naissance de la Vierge, son Baptême dans le Jourdain, sa Transfiguration sur le Mont Tabor, dépeins tout avec la parole et avec les couleurs dans les livres et sur les tableaux » [1].

La première et fondamentale icône — en prenant ce mot dans son sens le plus étendu d'image — est donc le visage même du Christ. Nous pouvons le représenter car il ne s'agit plus d'une image inaccessible à notre vue, mais d'une personne réelle. L'icône de Jésus-Christ exprime au moyen de l'image le dogme du Concile de Chalcédoine (451) : l'icône ne représente ni la seule nature divine, ni la seule nature humaine du Christ, mais elle représente sa Personne, la personne du Dieu-homme qui unit en soi, « sans mélange ni confusion » les deux natures.

Seront donc possibles désormais les *icônes de la Mère de Dieu*. Bien plus, lorsque la Très Sainte Vierge tient son divin Fils dans ses bras (et les icônes mariales sans Jésus sont très peu nombreuses), on les appelle parfois *icônes de l'Incarnation*.

Seront possibles également les *icônes* des saints parce qu'en assumant la nature humaine le Fils de Dieu ne renouvelle pas seulement dans l'homme l'image obscurcie par la chute d'Adam, mais il la recrée plus profondément à la ressemblance de Dieu. Le Christ ouvre à l'homme la voie de la transfiguration au moyen de la grâce, de la *divinisation*, comme le dit saint Paul : « Nous tous qui...

---

1. S. JEAN DAMASCÈNE. *Premier traité pour la défense des saintes icônes*, PG 94 ; coll. 1239-1240a.

réfléchissons comme en un miroir la gloire du Seigneur, nous sommes transformés en cette même image, toujours plus glorieuse » (2 Cor 3,18). Et l'icône transmet justement l'image d'un homme purifié, transfiguré, déifié, revêtu de la beauté incorruptible du Royaume de Dieu, d'une personne humaine devenue une icône vivante de Dieu.

L'icône est « canal de grâce avec vertu sanctificatrice »

Cette expression se trouve chez saint Jean Damascène et nous fait comprendre pourquoi, même de nos jours, la fonction primordiale de l'icône n'est pas, pour les orthodoxes, didactique, c'est-à-dire destinée à donner un enseignement religieux global, facilement compris par tous, comme les fresques des églises médiévales, dites *Biblia pauperum*, lues même par les analphabètes [2]. Après avoir été bénite, l'icône devient un *sacramental*, elle est signe de grâce, non à la manière des sacrements, efficaces en vertu de l'institution du Christ, mais en vertu des pouvoirs et de la prière de l'Eglise. Elle est donc une aide pour la vie spirituelle du chrétien qui en use avec respect et foi.

---

2. S. GRÉGOIRE LE GRAND. *Epître à Serenus, évêque de Marseille,* PL 77, 1027. Il donne des conseils pour détacher le peuple de l'adoration des images ; « cependant il ne faut pas détruire les icônes. Elles sont exposées dans les églises pour que, en les regardant sur les murs, les analphabètes puissent lire ce qu'ils ne peuvent pas lire dans les livres. »

L'icône rend présente la personne qu'elle figure

« Ce que l'Evangile nous dit par la parole, l'icône nous l'annonce par des couleurs et nous le rend présent », affirme un Concile oriental[3]. En représentant Jésus-Christ, la Mère de Dieu, les anges ou les saints, l'icône les rend mystérieusement présents, fait qui distingue nettement l'icône d'un tableau quelconque. Evidemment le lieu de cette présence ne peut être ni le tableau en bois, ni les couleurs ; mais c'est *la ressemblance avec le prototype*, avec celui qui est figuré sur l'icône, ressemblance que l'Eglise doit authentifier avant de bénir l'icône.

Il est d'ailleurs significatif que sainte Bernadette, invitée à choisir parmi diverses images de la Sainte Vierge celle qui ressemblait le plus à la vision qu'elle avait eue à Lourdes, se soit arrêtée sans hésiter devant une icône byzantine de la Vierge, peinte au IXe siècle.

L'icône est « lieu de rencontre »

« L'icône, nous dit le VIIe Concile œcuménique, est pour nous l'occasion d'une rencontre personnelle dans la grâce de l'Esprit Saint, avec celui qu'elle représente (...) Plus le fidèle regarde les icônes, plus il se rappelle celui qui y est représenté et plus il s'efforce de l'imiter ; il lui témoigne respect et vénération, mais non adoration qui n'est due qu'à Dieu. »

Que de fidèles orthodoxes, même de nos

---

3. MANSI, t. 16, col. 400.

jours, vont prier devant une icône dans la certitude d'une rencontre bénéfique avec une personne réelle, bien qu'invisible ! Combien d'autres, au cours des siècles, ont expérimenté l'efficacité de cette rencontre pour leur transformation personnelle ! (« il s'efforce de les imiter », dit le texte).

L'icône est « une fenêtre ouverte sur l'éternité »

Cette phrase, souvent redite, n'est pas un *slogan* : à travers l'icône, le divin nous illumine. La lumière est le principal attribut de la gloire céleste, et les icônes représentent les habitants du Royaume dans la contemplation de la lumière incréée par laquelle ils se laissent pénétrer jusqu'à devenir resplendissants, comme l'indique le nimbe qui entoure leur visage (les nimbes ne sont donc pas, comme les auréoles, ou les couronnes, de simples signes de sainteté).

Regardée avec les yeux du cœur éclairés par la foi, l'icône nous ouvre aux réalités invisible, au monde de l'Esprit, à l'économie divine, au mystère chrétien dans son intégralité ultra-terrestre. Elle est lieu théologique, ou plutôt, elle est « théologie visuelle », comme cela a été souvent dit.

L'icône est spécifiquement inspirée et sacrée

C'est un symbole qui renferme une présence, dans lequel temps, espace, mouvement ne sont pas représentés selon la perception habituelle. La laconicité renvoie à un message de foi, à la « vision de l'invisible », selon les paroles de saint Paul (Heb 11,1).

« L'icône s'affirme indépendante et de l'artiste et du spectateur, et suscite non pas l'émotion (...) mais l'avènement du transcendant dont elle atteste la présence. L'artiste s'efface derrière la tradition qui parle. L'œuvre d'art devient le lieu théophanique devant lequel il n'est plus possible de rester un simple spectateur ; l'homme se prosterne dans l'acte d'adoration et de prière » [4].

On pourrait longtemps discourir en s'efforçant de préciser ce qu'est l'icône, mais les Orientaux n'aiment pas définir (au contraire, observait l'un d'eux, ils ont besoin de ne pas définir !). Cherchons donc à découvrir personnellement, peu à peu, ce qu'est une icône en la considérant sous divers aspects, en examinant quelques-unes d'entre elles [5].

Il sera bon également d'écouter quelques orthodoxes qui ont longuement médité devant les icônes ; c'est pourquoi nous transcrirons quelques passages de leurs œuvres.

Dans le recueillement et le silence les yeux s'ouvrent à la lumière de la Transfiguration. Peut-être serons-nous conduits alors par la force de l'Esprit, dans la lumière de l'icône, à contempler non seulement le visage de Jésus, mais la lumière de la vérité divine.

---

4. P. EVDOKIMOV. *La connaissance de Dieu selon la tradition orientale,* chap. VIII, *La tradition iconographique,* p. 115. Ed. Xavier Mappus, Lyon, (Unité chrétienne) 1967.

5. Ce sera l'objet de la seconde partie de ce petit livre.

2

Ecoutons les orthodoxes

Métropolite Emilianos Timiadis [1]

« L'orthodoxe qui prie, entouré des saintes icônes, revit le combat de ceux qu'elles représentent. Il se transporte, en esprit, dans ce climat de piété qui se transforme en lui en source d'enseignement et de courage. Il sent que les saints sont avec lui, et lui avec eux. Faisant ainsi, il se fortifie, se trempe, s'élève par la prière et les humiliations.

C'est une vraie course à estafette durant laquelle ceux qui sont à la fin de la route nous passent le bâton de pèlerin pour combattre dans la lutte spirituelle commune. »

Paul Evdokimov [2]

« Dieu fait briller la lumière de nos cœurs pour faire resplendir la connaissance de la

1. Dans *La spiritualità ortodossa*, Morcelliana, Brescia, 1962, p. 28-29. Né à Athènes en 1917, consacré évêque en 1959, il réside à Genève en tant que représentant permanent du Patriarche œcuménique de Constantinople auprès du Conseil œcuménique des Églises.

2. PAUL EVDOKIMOV (1901-1970), russe, théologien laïc, auteur de nombreuses publications, surtout en français, qui ont fait connaître en Occident la théologie et la spiri-

gloire qui est sur la face du Christ » (2 Cor, 4,5-6). « Ta lumière resplendit sur les visages de tes saints », chante l'Eglise.

« L'icône est une semblable doxologie, elle ruisselle de gloire et la chante par ses propres moyens. La vraie beauté n'a pas besoin de preuves, elle est une évidence érigée en argument iconographique de la Vérité divine. C'est le contenu intelligible des icônes qui est dogmatique, et c'est pourquoi ce n'est pas l'icône — œuvre d'art — qui est belle, mais c'est sa vérité. Une icône ne peut jamais être « jolie » ; belle, elle exige une maturité spirituelle pour la reconnaître.

L'immobilité extérieure des figures est très paradoxale car c'est elle qui crée la forte impression qu'à l'intérieur tout bouge (...). Le plan matériel semble recueilli dans l'attente du message, le regard seul traduit toute la tension des énergies en vie. »

Serge Boulgakov [3]

« L'icône chez les orthodoxes est une nécessité essentielle pour le culte (...) Ce n'est pas simplement une représentation sacrée, mais quelque chose de plus. Selon la croyance orthodoxe l'icône est un lieu de présence de la grâce, comme une apparition du Christ (et

tualité orthodoxes. Cette citation est tirée de *L'Orthodoxie*, Neuchâtel, 1965, p. 216 et 229.

3. Dans *Pravoslovie* (en russe = Orthodoxie). Passages traduits du russe dans le chapitre *L'icône et sa vénération dans l'Orthodoxie*, p. 297-305. Né en Russie en 1871, ordonné prêtre en 1917, il est décédé en 1944 à Paris où il fut longtemps professeur de théologie à l'Institut Saint-Serge. Il a laissé de nombreuses œuvres de valeur.

aussi de la Vierge, des saints et en général de tout ce qui est représenté sur l'icône) pour le prier.

Cette apparition du Christ dans sa représentation pour écouter les prières qui lui sont adressées, ce n'est ni le tableau, ni les couleurs, nécessaires pour la représentation, qui l'accomplissent. L'orthodoxe prie devant l'icône du Christ, comme devant le Christ lui-même qui se présente à lui sur l'icône, mais l'icône en soi, lieu de cette présence, reste seulement un objet et ne devient pas une idole. L'exigence d'avoir avec soi, et devant soi l'icône provient d'un sentiment religieux concret qui ne se contente pas de la seule contemplation spirituelle, mais cherche une présence directe, sensible, comme il est naturel à l'homme composé d'âme et de corps. (...) La vénération des saintes icônes se fonde donc non seulement sur le contenu des personnages ou événements représentés, mais sur la foi en cette bienheureuse présence qui est donnée par l'Eglise, par la force du rite de sanctification de l'icône. La bénédiction de l'icône est un acte sacré par lequel justement est établi un lien entre le prototype et l'image, (...) entre celui qui est représenté et sa représentation. Grâce à la sanctification l'icône du Christ devient un lieu de rencontre entre celui qui prie et le Christ. Et ceci vaut aussi au sujet des icônes de la Mère de Dieu et des saints, lesquels dans leurs icônes prolongent pour ainsi dire leur vie sur la terre. (...) L'iconographie témoigne du monde de l'au-delà et de ses figures, elle ne démontre pas, mais montre, elle ne contraint pas avec des arguments, mais convainc par sa propre évidence. »

Eugène Trubeckoj [4]

« L'icône n'est pas un portrait mais un prototype de la future humanité tranfigurée (...) Dans les icônes, l'immobilité ne caractérise que les représentations où non seulement la chair, mais la nature humaine elle-même est réduite au silence, où elle vit désormais non de sa vie propre, mais d'une vie sur-humaine. Bien entendu cet état d'âme exprime non la cessation de la vie, mais au contraire la plus grande tension et intensité. (...) Aujourd'hui, plus qu'en aucun autre temps, nous sommes capables de comprendre le drame émouvant et existentiel de l'icône. Finalement nous avons réussi à percevoir comment elle a profondément enregistré pendant des siècles le tourment de l'âme populaire, combien de larmes ont été répandues devant elle et quelle autorité possède la réponse donnée à ces larmes. (...)

« (Dans l'architecture sacrée et dans l'iconographie) l'âme de notre peuple a révélé ce qu'elle possède de plus beau et de plus intime, la profondeur transparente de l'inspiration religieuse qui plus tard s'est manifestée au

4. E. TRUBECKOJ. *Contemplazione nel colore. Tre studi sull'icona russa*, Milan, 1977. Passages de l'étude I (p. 13, 17, 33, 36) écrite en 1915. Professeur à l'université de Kiev, puis de Moscou. D'un point de vue initialement athée, il arriva, grâce notamment à l'influence de Soloviev, à une conception religieuse du monde.

monde aussi dans les œuvres classiques de la littérature russe. Dostoievsky affirma que « la beauté sauvera le monde » ; développant la même idée, Soloviev annonça l'idéal de « l'art théurgique ». Quand ces paroles furent prononcées la Russie ne savait pas encore quels trésors artistiques elle possédait. Pour nous l'art théurgique avait déjà existé. Nos iconographes avaient vu cette beauté par laquelle le monde se sauve et ils l'avaient immortalisée en couleurs. »

Olivier Clément [5]

« La lumière de l'icône symbolise la gloire divine, incréée, voilée par sa profusion, renvoyant à sa source suressentielle. C'est pourquoi dans une icône, la lumière ne provient pas d'un foyer situé à l'intérieur du cosmos et provoquant le phénomène de l'ombre où s'expriment l'opacité et le dédoublement de l'homme, (...) Dieu « tout en tous », « en tout », se fait notre lumière. Et celle-ci ne projette pas d'ombre, car elle vient de tous les côtés à la fois et plus rien ne lui est opaque. C'est le fond même de l'icône que les iconographes nomment « lumière » ; plus exactement, la détrempe, appliquée en couches minces, des tons sombres vers les plus clairs, donne à l'icône une sorte de transparence, le

5. O. CLÉMENT, théologien orthodoxe, laïc encore vivant. De Paris il a beaucoup œuvré pour faire connaître l'Orthodoxie aux occidentaux. Le passage cité se trouve dans le chapitre : *L'icône, visage transfiguré*, de son livre *Visage intérieur*, Paris, 1978, publié aussi dans « Espace, église, arts, architecture », n° 5, 1979 p. 19.

dessin plus foncé des premières couches transparaissant à travers la luminosité des couches superficielles. L'esthétique spirituelle de l'icône est donc une sorte de musicalité de l'omniprésence solaire... »

Léonide Ouspensky [6]

« L'icône est un témoignage visible tant de l'abaissement de Dieu vers l'homme que de l'élan de l'homme vers Dieu. Si la parole et le chant de l'Eglise sanctifient notre âme au moyen de l'ouïe, l'image la sanctifie au moyen de la vue, premier parmi les sens suivant les Pères. Expression de l'image et de la ressemblance divine rétablies dans l'homme, l'icône est un élément dynamique et constructif du culte. (L'Eglise) voit dans l'icône un des moyens qui peuvent et doivent nous permettre de réaliser notre vocation, c'est-à-dire d'acquérir la ressemblance à notre Prototype divin, d'accomplir dans toute notre vie ce qui nous fut révélé et transmis par le Dieu-homme. Les saints sont peu nombreux, mais la sainteté est une tâche assignée à tous les hommes et les icônes sont placées partout comme un modèle de cette sainteté, comme une révélation de la sainteté du monde à venir, un plan et un projet de la transfiguration cosmique.

« La rencontre avec l'Orthodoxie et le retour aux sources du christianisme si caractéristi-

_____

6. L. OUSPENSKY, iconographe et théologien russe, vivant en France. Dans un récent livre de 496 pages, *La théologie de l'icône dans l'Eglise orthodoxe*, il a donné l'œuvre peut-être la plus complète sur ce sujet. Citation extraite des p. 174 et 454.

que de notre temps sont aussi une rencontre inévitable avec l'icône, et donc avec la plénitude originelle de la révélation chrétienne, exprimée par la parole et par l'image. D'autre part, le message de l'icône orthodoxe répond aux problèmes de notre temps parce que ces problèmes ont un caractère nettement anthropologique. L'homme est le problème central de notre époque, l'homme amené dans une impasse par l'humanisme sécularisé. »

Métropolite Alexis, de Tallin et Esthonie [7]

« L'icône fut et reste pour tous ceux qui accueillent la beauté non terrestre de ses formes, prédication éloquente, force vivifiante qui guérit, et très haute philosophie. Est profondément exact ce qu'écrivait Paul Florensky [8] : « Ce n'est pas par hasard que les anciens témoignages appellent philosophes les grands maîtres de l'iconographie, alors qu'ils n'ont rien écrit de théorie abstraite. Mais, illuminés de célestes visions, ces iconographes témoignaient le Verbe Incarné avec les doigts de leurs mains et vraiment faisaient de la philosophie avec les couleurs. C'est ainsi seulement qu'on peut comprendre l'affirmation des Pères, de nombreuses fois répétée, et comme l'ont témoigné en vérité les déclara-

---

7. Prélat de l'Eglise russe, membre permanent du Synode patriarcal. En qualité de président de la Conférence des Eglises européennes du Conseil œcuménique des Eglises, il a rédigé, pendant l'assemblée réunie en Grèce du 18 au 25 octobre 1979, un rapport publié en russe dans le *Journal du Patriarcat de Moscou*, n° 1, 1980, dont ce passage a été traduit.
8. Voir aussi p. 38 la citation de P. Florensky, dont on parle dans la note 8 de cette même page.

tions du Concile œcuménique, sur l'égalité entre l'icône et la prédication : l'iconographie est pour les yeux, ce que la parole est pour l'oreille. »

Jean Meyendorff [9]

« L'Orient byzantin est la seule région géographique du monde chrétien où le problème de l'*image* religieuse ait suscité un débat théologique de plus d'un siècle. (...) L'importance qu'un Théodore Studite reconnaît à la doctrine de l'union hypostatique dans la notion orthodoxe de l'image illustre bien que le développement de la pensée christologique à Byzance du Ve au VIIIe siècle constitue un tout inséparable et intégré. Cette logique interne de la christologie byzantine a permis non seulement de préserver mais aussi d'inspirer des générations d'artistes, créateurs de la grande réussite religieuse que constitue l'art byzantin. Elle a fait aussi que cet art ait été non seulement un accomplissement, mais encore, suivant l'expression d'un philosophe russe du XXe siècle, une "Théologie par l'image". »

Nicolas Zernov [10]

« La liberté et la spontanéité des chrétiens

9. Russe, né en France où il fit ses études, il vit aux USA. C'est un des érudits orthodoxes les plus qualifiés. Il fut aussi Président de la Commission Foi et Constitution du Conseil Œcuménique des Eglises. La citation est tirée de son livre : *Le Christ dans la Théologie byzantine*, Bible œcuménique 2, Edition du Cerf, 1969, dans le chapitre *Vision de l'invisible : La querelle des images*, p. 235 et 263.

10. Laïc, né à Moscou en 1898 ; professeur de Culture religieuse orthodoxe à l'université d'Oxford lorsqu'il écrivit son livre *Eastern Christendom* d'où est extrait ce passage

d'Orient découle de la conviction d'être tous membres d'une seule grande famille composée des vivants et des morts ; les chrétiens viennent aux offices liturgiques comme hôtes à un banquet où les saints occupent la place d'honneur. Un tel sentiment justifie la présence d'un nombre aussi important d'icônes. Par ces signes visibles le chrétien veut en fait se souvenir de ses hôtes invisibles et son premier geste en entrant à l'église est de les saluer, leur offrant un cierge allumé, symbole d'amour et du souvenir continuel de ses ancêtres. Souvent on complète ce geste en baisant l'icône avec déférence. Cette habitude correspond à l'ancien salut chrétien du baiser de paix (...) Dans la vie des chrétiens d'Occident, il n'y a rien qui puisse exactement se comparer à l'importance accordée à l'icône dans la vie de l'Orient chrétien. Les peintures sacrées ne sont pas seulement une décoration adéquate des centres de culte, et ne sont pas même considérées comme un moyen d'instruction visuelle. Elles révèlent à l'orthodoxe la fin ultime de la création, qui est de devenir le temple du Saint-Esprit et expriment la réalité de ce processus de transfiguration du cosmos qui, commencé le jour de la Pentecôte, s'étend graduellement à tous les aspects de la vie terrestre. A la maison, en voyage, aux moments de périls ou de joie, l'orthodoxe a besoin des icônes, il a besoin de regarder à travers elles, comme à travers une fenêtre, le monde qui est au-delà du temps et de l'espace et de recevoir l'assurance que ce pèlerinage terrestre est seulement le commencement d'une autre vie meilleure et plus complète. »

Grégoire Krug [11]

« La vénération des icônes dans l'Eglise est comme une lampe allumée dont la lumière ne s'éteindra plus. Elle a été allumée non par une main humaine, et depuis lors sa lumière ne s'est jamais éteinte. Elle a brûlé et elle brûle et ne cessera de brûler, mais la flamme n'est pas immobile ; parfois elle se rallume et se transforme en lumière aveuglante. Et même, si tout ce qui est contraire à l'icône cherche à éteindre sa lumière, la recouvrant d'un voile de ténèbres, cette lumière ne s'éteint pas et ne peut s'éteindre. Et lorsque la diminution de la piété tarit les forces de production des icônes et que celles-ci perdent pour ainsi dire la gloire de leur haute dignité, même alors la lumière ne s'éteint pas ; elle continue à vivre, prête à apparaître dans toute sa force et à se diffuser comme la splendeur de la Transfiguration du Tabor (...) La vénération des icônes dans l'Eglise orthodoxe se base et s'appuie sur le dogme de l'Incarnation de Dieu. C'est dans la confession du Fils de Dieu, Lumière de Lumière, vrai Dieu de vrai Dieu, consubstantiel au Père, s'incarnant de l'Esprit Saint et de la Vierge Marie, que l'intarissable source alimentée par la vénération des icônes tire son origine vivifiante... »

11. Orthodoxe, né à Pétersbourg en 1909 ; peintre, il vint se perfectionner à Paris, attiré par l'iconographie, et enfin est devenu moine. Il mourut en 1969 dans un *skit* (= tout petit monastère) russe, non loin de Paris. Il a peint de nombreuses et belles icônes et rédigé des réflexions sur les icônes, (*Mysli ob ikone*), publié en russe à Paris en 1978. Cette citation se trouve au début du livre.

3

L'iconostase

Dans les églises byzantines, dont l'abside doit être tournée vers l'orient, on remarque une séparation entre la partie réservée au au clergé, le sanctuaire, appelé parfois « Saint des saints », et la nef où se tiennent les fidèles. Elle consistait autrefois en une simple balustrade avec porte, surélevée plus tard de la « pergola » (formée de petites colonnes distantes l'une de l'autre prenant appui sur la balustrade, et reliées entre elles dans leur partie supérieure). Cette séparation s'est transformée plus tard en une cloison — le plus souvent en bois, mais parfois en maçonnerie —, recouverte d'icônes, d'où son nom d'*iconostase*.

Elle comporte toujours trois portes dont la plus importante est la porte centrale (complétée dans le haut par une tenture mobile), appelée *porte* (ou *portes*) *royale* (ou *du Paradis*). Sur cette porte doit être toujours peint ce qui fut le commencement de notre salut, c'est-à-dire l'Annonciation : l'Ange se trouvant sur le panneau de gauche (pour qui regarde) et la Très Sainte Vierge sur celui de droite.

Ils seront peut-être réduits à de simples médaillons, comme on peut le voir sur les portes baroques déjà enrichies de motifs décoratifs en bois sculpté et doré. On trouve aussi très souvent sur les portes royales les quatre évangélistes, ainsi dans la chapelle de l'illustration 16. Il s'agit ici d'une petite église modeste dont l'iconostase est réduite à l'essentiel. On remarque à droite le Christ debout tenant un Evangile ouvert sur lequel on peut lire le verset de saint Jean (Jn 10,16) : « J'ai d'autres brebis (...) Il y aura un seul troupeau et un seul pasteur, » afin de rappeler le but œcuménique de la petite communauté monastique féminine russe qui s'y rassemble. A gauche de la porte centrale figure la Mère de Dieu dans l'attitude de « Vierge de tendresse »[1]. Au-dessus sont représentés les deux saints auxquels sont attribués les textes de la Liturgie eucharistique, saint Jean Chrysostome et saint Basile. Encore plus haut, au centre, se trouve la scène des disciples d'Emmaüs. On note sur les portes latérales, et en relief, la croix russe, caractérisée par une plus grande extension du bras supérieur et par l'inclinaison de l'appui-pied pour rappeler que la croix est devenue désormais « balance de justice », comme le disent certains termes liturgiques[2]. Lorsque la croix est peinte, la partie qui monte présente l'image de la Jérusalem nouvelle, tandis que la partie qui descend nous montre l'ancienne Jérusalem avec le voile du Temple

---

1. Tout ceci est expliqué p. 88 et suivantes.
2. Par ex. dans la prière récitée chaque jour à l'Heure de None pendant le carême, à la place du *Kontakion*.

déchiré ; le bon larron s'élève, tandis que celui qui ne s'est pas repenti tombe.

Dans les grandes églises l'iconostase, beaucoup plus importante, comporte de nombreuses icônes. Le schéma de la page 127 donne une idée de leur disposition. C'est en particulier dans les églises russes que l'iconostase s'est développée en hauteur. Dans les antiques églises byzantines (par exemple celle de Daphné, en Grèce), les scènes théophaniques principales qui encadraient et accompagnaient les célébrations liturgiques se trouvaient souvent sur les murs en mosaïque. En Russie où les églises étaient fréquemment en bois, et où il était donc impossible de décorer les murs avec des fresques, on dut concentrer la décoration sur l'iconostase. Ce fait contribua au développement de l'iconographie car les artistes comprirent que chaque icône ne devait pas être une composition en soi, mais l'élément d'un tout. De plus les icônes devant être vues et reconnues de loin, cela conduisit à la clarté des lignes et à l'emploi de couleurs franches.

Les icônes, qui dans les grandes églises sont beaucoup plus nombreuses sur l'iconostase, veulent présenter aux yeux des fidèles le plan du salut et sa réalisation progressive, les saints qui nous ont précédés dans le combat de la foi, les anges qui nous aident sur l'ordre de Dieu. Les sujets des icônes varient d'une église à l'autre, mais, après le Christ et sa Mère, la place principale revient au saint, ou à la fête, auquel le sanctuaire est dédié.

Dans les églises russes l'iconostase a reçu

un évident développement en hauteur qui permet d'admirer les différents plans, ou niveaux, des icônes (six parfois), avec la représentation de l'Eglise triomphante tout entière : patriarches, prophètes, apôtres, anges, saints, tous disposés à droite et à gauche et convergeant vers la composition centrale de la *Déesis*, c'est-à-dire du Christ en majesté, avec à ses côtés la Vierge et saint Jean-Baptiste en attitude d'intercession[3]. Il existe aussi presque toujours un plan d'icônes figurant les « Douze grandes fêtes » de l'année liturgique byzantine[4].

L'iconostase est une cloison de séparation, mais elle ne veut pas être un mur, une division faite pour cacher l'autel. Avant tout les trois portes permettent la communication entre les deux parties de l'église bien que des normes précises en réglementent l'usage. Par exemple, le prêtre peut franchir la porte royale uniquement s'il est revêtu des ornements sacerdotaux et aux moments fixés par les rites ; dans les autres cas il passera par les portes latérales ; sur celles-ci sont souvent peints deux anges ou deux saints diacres, justement parce que les diacres les franchissent pendant les offices. L'entrée en est interdite aux laïcs[5], sauf rares exceptions (servants, etc.). Sans

---

3. Voir explication p. 83.
4. La liste en est donnée p. 96.
5. Le très grand respect conçu pour le sanctuaire est confirmé par le fait que, même dans les églises russes transformées en musées, les visiteurs ne sont plus admis à franchir l'iconostase. C'est une mesure que le Patriarche de Moscou a réussi à obtenir des autorités civiles. Des reproductions des œuvres d'art placées derrière l'iconostase sont exposées dans la nef.

l'iconostase les rites liturgiques byzantins ne peuvent être célébrés d'une manière adéquate [6].

L'iconostase tout entière veut aider les fidèles à entrer en communion avec l'Eglise du ciel, à participer à l'histoire du salut, à exulter grâce au renouvellement sur l'autel des saints mystères qui nous attendent dans les tabernacles célestes.

L'iconostase n'est donc pas un ensemble fortuit d'icônes sans précise signification didactique ; elle est bien plus. « Il s'agit du lien ontologique entre sacrement et image, d'une manifestation de ce Corps glorieux du Christ, le même, réel, dans le Sacrement (eucharistique) et, représenté, dans l'icône » [7]. Dans les Saints Dons (les latins disent les « Saintes Espèces »), Jésus-Christ ne se montre pas, on ne le voit pas. Il se montre au contraire dans l'icône.

Nous conclurons par l'observation d'un autre orthodoxe russe, le génial archiprêtre Paul Florensky [8] : « Ce n'est pas que l'iconos-

---

6. C'est pourquoi, lorsque la liturgie eucharistique byzantine est célébrée dans une église latine, on dispose un peu à l'écart de l'autel deux icônes portatives du Christ et de la Vierge, tournées face aux fidèles, comme pour délimiter d'invisibles portes, franchies aux moments voulus par le célébrant.

7. L. OUSPENSKY. *La théologie de l'icône dans l'Eglise orthodoxe*, Paris, 1980, p. 254.

8. P. FLORENSKY. *Les portes royales, essai sur l'icône* (Milan, 1977). Le titre original du livre russe est *Iconostas*. Son ouvrage principal *La colonne et le fondement de la Vérité* en russe et en italien (Milan, 1974) permet d'apprécier l'exceptionnelle valeur d'un prêtre physicien, mathématicien, poète, philosophe et théologien qui continua, même en Russie soviétique, son enseignement universitaire de physique et mathématiques à Moscou jusqu'à sa

tase matérielle cache au fidèle quelque secret
intéressant et curieux, comme l'imaginent
quelques-uns dans leur ignorance et vacuité,
bien plutôt d'elle leur adapte, à eux aveugles,
le mystère du sanctuaire ; il ouvre à ceux-ci,
difformes et malades, l'entrée d'un autre monde, fermé par leur indolence ; il crie à leurs
oreilles sourdes l'annonce du Royaume des
Cieux. »

---

déportation dans un camp de concentration où il mourut,
peut-être en 1943.

4

L'iconographe et la Tradition

Dans l'*Herméneutique de la peinture,* Denis de Furna, iconographe du XVIIIe siècle qui a vécu sur le mont Athos [1], nous expose tout ce qui se transmettait depuis des siècles sur les sujets et la technique propres à l'icône. Mais dès les premières pages il donne les règles suivantes : « Qui veut apprendre l'art pictural, qu'il étudie d'abord et s'exerce un peu seul à dessiner, même sans canons (règles) jusqu'à ce qu'il devienne habile. Puis qu'il fasse l'invocation au Seigneur Jésus-Christ et une prière devant l'icône de la Mère de Dieu Conductrice *(Hodiguitria).* Le prêtre, le bénissant, après les prières "Roi céleste" [2] et la

---

1. Dans une presqu'île grecque qui, depuis au moins le Xe siècle, est une république formée uniquement de moines et constitue le centre idéal du monachisme et des traditions orthodoxes.

2. C'est le début d'une prière au Saint-Esprit qui commence presque tous les offices byzantins ; les premiers mots indiquent aussi les autres prières. Il faut noter l'allusion au Tropaire de la Fête de la Transfiguration de Notre Seigneur (6 août). La « lumière du Tabor » a une très grande importance en iconographie. L'invocation de Saint Luc à la fin se comprend parce qu'il est considéré comme le premier peintre d'icônes pour avoir peint le portrait de la Vierge.

suite, le Magnificat de la Mère de Dieu, et le tropaire de la Transfiguration et faisant le signe de la croix sur sa tête, dira à voix haute : « Prions le Seigneur ! » suivi de l'invocation : « Seigneur Jésus-Christ notre Dieu, qui existe, indescriptible dans la nature divine, et pour le salut de l'homme t'es mystérieusement incarné dans le sein de la Vierge Marie, Mère de Dieu, ô toi, qui as daigné être circonscrit (...), Dieu de tout ce qui existe, illumine et instruis l'âme, le cœur et l'intelligence de ton serviteur (nom) et dirige ses mains pour peindre de manière irrépréhensible et parfaite l'image de la Toute-Pure Mère de Dieu et de tous les saints, pour la gloire, la joie et la beauté de ta Sainte Eglise et pour la rémission des péchés de ceux qui vénèrent et baisent avec dévotion ces icônes, en attribuant l'honneur à leur prototype ; libère-le de toute influence diabolique de sorte qu'il progresse en tous tes commandements, par l'intercession de Ta Mère Immaculée, du Saint apôtre et évangéliste Luc et de tous Tes saints. Amen »[3].

De tout ceci il ressort clairement que, outre ses talents naturels et son expérience d'artiste, celui qui peint les icônes (en réalité le mot iconographe signifie qui « écrit » les icônes), celui-là donc doit s'être préparé spirituellement et rester en contact avec l'Eglise. Celle-ci non seulement le bénit, mais encore l'oriente dans son travail. Une décision conciliaire

---

3. DENIS DE FURNA, *Guide de la peinture*, Didron et Durant, Paris, 1845.

du VIIIe siècle dit très clairement que l'iconographie n'a pas été inventée par les peintres, mais qu'elle est une règle confirmée et une tradition de l'Eglise [4].

La « Sainte Tradition » a toujours conservé une importance spéciale en Orient où l'on se rappelle souvent qu'elle a précédé la rédaction même des Evangiles. La vraie Tradition n'est pas seulement conservation d'un héritage du passé, mais bien « transmission *(paradosis)*, mise en valeur continue d'un héritage vivant, conforme au besoin de continuité qui anime l'homme : continuité non d'une certaine manière de vivre, mais d'une certaine manière de devenir » [5]. Et de même que le Concile de Laodicée, vers 343, confirma le canon apostolique sur les 85 livres sacrés, mettant ainsi fin à l'improvisation dans le culte, ce qui conduisait à des erreurs liturgiques, de même les Conciles de la période iconoclaste [6] ont donné des directives fondamentales et permanentes pour l'art sacré oriental.

« L'icône est une des manifestations de la Tradition sacrée de l'Eglise au même titre que la tradition écrite et la tradition orale » [7]. Le deuxième Concile de Nicée, en 787, compare la peinture à la prédication de la foi [8], suivant

---

4. Mansi XIII, p. 252c. Citations p. 63.
5. E. TIMIADIS. *Spiritualità ortodossa*, Brescia, 1962, p. 67.
6. Lire à ce sujet ce qui est écrit dans le chapitre : Quelques moments dans l'histoire de l'iconographie, p. 64 et suivantes.
7. L. OUSPENSKY. *Essai sur la théologie de l'icône dans l'Eglise orthodoxe*. I, Paris, 1960, p. 10.
8. MANSI, XIII, coll. 300c.

ainsi saint Basile dont certains passages affirment même la supériorité de l'image sur la parole au point de vue efficacité [9].

Autrefois l'iconographe était surtout un moine, car expert dans la vie spirituelle : par la prière, le silence, l'ascèse, le « jeûne des yeux », il se plongeait dans le monde de l'au-delà ; vivant en compagnie des saints, il était plus capable d'en exprimer le visage et le mystère. Habitué à l'obéissance, il suivait plus fidèlement les directives de l'Eglise même en iconographie ; mais, s'il était un véritable artiste, il créait des chefs-d'œuvre où sa personnalité restait évidente.

Restons dans l'art russe et disons que les grands artistes Roublev et Denis étaient des moines. L'Eglise orthodoxe place auprès des divers ordres de saints : martyrs, docteurs, etc., les *saints iconographes,* dont l'art est considéré comme une preuve évidente de sainteté. Parmi eux on note saint Alype, peintre d'icônes du Monastère des Grottes de Kiev, qui a vécu pendant les débuts du christianisme russe.

La fidélité des iconographes envers la Tradition permet que l'icône, souvent complexe, d'une fête soit immédiatement reconnue, même par des simples. Et pourtant il n'existe pas deux vraies icônes absolument sembla-

9. Par ex. dans PG 31, 499 : « Locum martyris laudandi cedamus linguis magnificientioribus... Exsurgite nunc mihi, o preclari athleticorum pictores... Coronatum athletam, obscurius a me depictum, solertiae vestrae coloribus illustrate... »

bles. Si l'on peut distinguer, même parmi des icônes non signées, au moins une quarantaine d'écoles (de Moscou, de Jaroslav, de Novgorod, de ce siècle, ou de cet autre, etc.), c'est parce que l'artiste, tout en restant fidèle aux règles de l'Eglise, avait une liberté propre, comme le reconnaît aussi un expert soviétique : « Dans l'ancienne iconographie russe, même à l'intérieur des schémas traditionnels sur des sujets bibliques, tout en respectant dûment la tradition, les peintres étaient toujours capables d'ajouter quelque chose de personnel, d'enrichir et de donner une interprétation actuelle aux anciens canons et de créer quelque chose de nouveau. Les iconographes s'employaient à découvrir leurs modèles dans l'art le plus ancien et dans la littérature, mais on ne doit pas sous-estimer les éléments nouveaux que l'on trouve en chaque version nouvelle d'un thème » [10].

A la différence de l'Occident , où l'art sacré est resté plus individuel et moins théorique, l'Orient a standardisé une tradition des Pères en ce qui concerne l'icône, et a ainsi assuré la force et la continuité : y sont évidemment sous-entendues une anthropologie et une ecclésiologie différentes. Reviennent alors à l'esprit d'autres affirmations très nettes du VIIe Concile œcuménique : « Du peintre dépend seulement l'aspect technique de l'œuvre, mais tout son plan, sa disposition, sa compo-

---

10. M. ALPATOV. *Drevnerusskaja ikonopis* (en russe = Antique iconographie russe), p. 8.

sition appartiennent et dépendent d'une manière très claire aux Saints Père » [11].

Non moins explicites furent les délibérations du Concile moscovite des Cent chapitres (1551) : « Les archevêques et évêques, dans toutes les villes, villages et monastères de leurs diocèses, doivent veiller sur les peintres d'icônes et contrôler leurs œuvres », ce qu'ils faisaient en passant commande aux « peintres les plus importants » de la région. « Le peintre d'icônes doit être humble, doux, pieux, ni bavard, ni rieur, ni litigieux, ni envieux, ni buveur, ni voleur ; il doit observer la pureté spirituelle et corporelle » [12].

On trouve dans les icônes différents niveaux artistiques. Les plus nombreuses sont peut-être des œuvres d'artisans, mais la haute conception de la mission de l'iconographe, le vigilant intérêt de l'Eglise, le vivant héritage des modèles et des techniques font que, même œuvres d'artistes mineurs, les icônes sont nobles et belles et peuvent accomplir leur mission.

11. MANSI, Nic. II, 6a sess. 252c.
12. L. DUCHESNE, *Le Stoglav* (mot russe = Cent chapitres), Paris, 1920.

5

Peinture de l'icône

En grec, comme en russe et en d'autres langues des divers pays où la production des icônes se perpétue, on dit plus exactement « écrire » l'icône, d'où le nom d'iconographe donné à celui qui les réalise.

C'est un travail long et patient [1] qui exige de l'expérience pour la préparation du bois, et du talent artistique pour la réalisation du sujet.

En premier lieu il faut une planche d'un bois résistant et bien sec d'une épaisseur de 15 à 20 mm. Cette plaque est enduite d'une colle forte liquide pour pénétrer dans le bois. Avec cette même colle on fixe presque toujours sur la plaque une toile fine et propre. On creuse parfois la partie centrale pour former tout autour un rebord de 2 à 5 cm de large, d'une épaisseur de quelques millimètres, servant d'encadrement.

Avec un mélange formé de colle forte (colle

---

1. On trouve des renseignements à ce sujet dans le livre récent et important de E. SENDLER : *L'icône, image de l'invisible. Eléments de théologie esthétique et technique*, Paris, 1981.

de lapin) mélangé d'une poudre d'une pierre blanche (par ex. blanc d'Espagne), on enduit à nouveau la plaque à plusieurs reprises à l'aide d'un pinceau, en la laissant sécher complètement entre chaque couche. On constitue ainsi le « crépi » blanc, patiemment poli au papier de verre jusqu'à ce que l'on ait obtenu une surface lisse et dure, prête à recevoir le *dessin*. On esquisse les contours de l'image soit en les gravant avec une pointe, soit en les traçant avec un crayon ou un pinceau fin trempé dans une détrempe ocre. Naturellement l'iconographe aura préparé au préalable un bon modèle en s'inspirant de reproductions d'anciennes icônes, ou à l'aide de manuels permettant de bien se conformer à la tradition en ce qui concerne la composition générale, tandis que les détails sont laissés à sa créativité personnelle.

Après le dessin, on s'occupe de la *dorure*. On recouvre les nimbes, ou le fond, d'une couche liquide d'ocre jaune ou rouge, puis d'un vernis. Lorsque celui-ci est presque sec, mais encore visqueux, on applique les feuilles d'or ; on laisse sécher, puis on remet une couche de vernis et on dégage les contours avec un canif. Ces procédés s'expriment en quelques lignes, mais la technique est complexe et exige une longue pratique pour obtenir un bon résultat. (Il y a aussi l'antique technique grecque « stilvoto ».)

La dorure terminée, on procède à *l'ouverture* de l'icône. Elle consiste à recouvrir les diverses parties du dessin d'abord avec du jaune d'œuf, puis avec des teintes uniformes, sans tenir compte des tons clairs ou foncés, et en laissant à découvert les visages, les mains et les pieds. La poudre de la couleur choisie est rendue pâteuse avec un peu d'eau jointe à une émulsion préparée avec du jaune d'œuf et un peu de vinaigre ou de bière blonde. On peint ainsi en étendant une couche mince et uniforme. A l'inverse du procédé de la peinture à l'huile, les « coups de pinceau » ne doivent pas se remarquer.

Il faut observer maintenant que le matériel utilisé pour l'exécution d'une icône est constitué de matériaux pris aux règnes minéral, végétal et animal : bois, eau, argile, œuf, terres de couleur, etc. Ils sont tous employés à l'état naturel après avoir été seulement nettoyés, puis travaillés. L'homme, en les utilisant, permet ainsi à ces éléments si simples de servir et de louer le Seigneur.

Lorsque la première couche est sèche, on en applique une seconde de la même couleur, mais plus étendue, et l'on répète ce procédé plusieurs fois. On trace alors avec un pinceau très fin les contours extérieurs et internes avec la même couleur, mais plus foncée et moins diluée. Pour donner du relief à certaines parties, on assombrit la partie non éclairée avec une couleur d'un ton plus foncé, ou bien on « éclaire » les parties qui ne sont pas dans l'ombre. Cet *éclaircissement* se fait en plusieurs phases (de deux à quatre), en étendant sur la surface sèche la couleur déjà utilisée, à laquelle on a ajouté du blanc, en augmentant sa quantité à chaque couche, tout en diminuant à chaque fois la surface peinte.

Le dernier effet de lumière est atteint en déposant quelques légers traits de blanc pur. Si l'on a toujours employé avec le blanc la couleur de la première couche, on aura un éclaircissement d'*un seul ton,* ou reflet simple ; mais on utilise parfois le *reflet à deux couleurs* ; ainsi une couleur froide bleue peut être éclaircie avec une teinte chaude, comme le rouge.

La peinture du visage, des mains, et en général de toute la chair visible, est certainement la plus importante. Après avoir recouvert ces surfaces d'une couleur de base (le plus souvent ocre jaune et rouge), on ajoute les lumières par couches successives. Les traits intérieurs sont tracés avec une couleur spéciale appelée *esedra,* mélange de rouge et de noir. Divers procédés permettent de peindre l'incarnat, mais nous ne les décrirons pas. Les yeux, les sourcils, les lèvres exigent une très grande habileté et l'on considère toujours comme critère de base qu'il ne s'agit pas de reproduire la nature, mais de donner une image transfigurée par l'intériorité spirituelle, en suivant les antiques canons. Des traits de couleur claire rehaussent les parties voulues ; d'autres, tracés avec de l'or, ornent souvent les bords des vêtements. Si le fond de l'icône n'a pas été doré, c'est le moment de le colorer, souvent en ocre clair, mais aussi parfois en rouge (icônes de saint Elie) ou en verdâtre, ou même presque en noir (école de Pskov).

Une fois faites *les inscriptions* qui donnent son nom à l'icône, tracées souvent avec des caractères stylisés en ocre rouge, on laisse l'icône soigneusement sécher pendant quelques mois, et on passe ensuite l'*olifa* : c'est une huile de lin cuite avec adjonction de cristaux d'acétate de cobalt que l'on a laissés se décolorer au soleil dans une bouteille en verre transparent. On enduit plusieurs fois la peinture avec l'*olifa*, en prenant soin de la préserver des poussières ; puis, quand l'icône est saturée, on enlève l'excédent. On la laisse encore sécher longuement et l'on passe enfin un vernis transparent avec un tampon.

L'icône est terminée. Si tous les procédés techniques ont été soigneusement appliqués, elle est prête à défier les siècles en conservant cet éclat des couleurs qui la distingue des autres peintures.

6

Couleurs, perspective et nom
de l'icône

La splendeur des coloris des chefs-d'œuvre de l'iconographie grecque et russe prouve que les anciens maîtres connaissaient bien les couleurs et savaient les utiliser en rapprochements harmonieux ou en contrastes qui nous frappent encore aujourd'hui. Henri Matisse, un des plus hardis innovateurs de la peinture parisienne, se trouvait à Moscou en 1911. Après avoir visité quelques collections privées, le Kremlin [1] et la Galerie Tretiakov [2], il fit de grands éloges des icônes, puis il dit :

---

1. On appelle Kremlin en Russie la partie centrale d'une ville, presque toujours enclose par des murs, et qui comprend les principaux édifices religieux et civils. Très renommé est celui de Moscou avec sa Place des cathédrales (de l'Annonciation, de l'Assomption, de l'Archange saint Michel, et autres églises mineures), et ses divers palais (des Armures, qui fut un certain temps la résidence du Tsar). ceux où siègent maintenant le gouvernement central et le gouvernement fédéral, le palais des Congrès, de construction récente). Les églises en particulier, — transformées en musées — sont très riches en icônes de grande valeur. On trouve aussi des kremlin à Novgorod, Rostov, Suzdal...

2. Fondée par des marchands moscovites homonymes qui en firent don ensuite à la ville de Moscou. Voir note p. 78.

« Les Russes ne soupçonnent même pas quels trésors artistiques ils possèdent (...) Partout le même éclat et la manifestation d'un sentiment très puissant. Vos jeunes étudiants ont ici, chez eux, des modèles d'art (...) infiniment supérieurs à ceux des autres pays » [3].

Le choix des couleurs employées pour les icônes était laissé aux peintres depuis des siècles. C'est donc surtout la gamme de ces couleurs qui permet aujourd'hui de distinguer les différentes écoles, sans compter que chaque peintre avait ses couleurs préférées. Mais tous obéissaient à la règle de les choisir résistantes à la lumière et capables de conserver leur éclat. Il est pourtant vrai que, avec le temps, en particulier dans les églises où l'usage de l'encens, des lampes et des chandelles, est fréquent, les icônes enduites d'*olifa* (qui se noircit en vieillissant) se couvraient d'une couche sombre au point de rendre méconnaissable la gamme des couleurs et le sujet lui-même. La confiscation des icônes sous couleur de patrimoine d'Etat, survenue en U.R.S.S. — elles furent enlevées des églises fermées au culte, ou bien des résidences privées, appartenant surtout aux émigrés — a eu pour conséquence, dans le mystérieux plan de la Providence, de les rendre plus disponibles pour leur nettoyage et leur étude scientifique dans les laboratoires de restauration. Sont alors réapparus dans leur beauté primitive les chefs-d'œuvre d'iconographie qui

---

3. M. ALPATOV, *Le Icône russe, Problemi di storia et di interpretazione*, Turin, 1976, p. 7.

ornent aujourd'hui la Galerie Tretiakov, le musée Roublev de Moscou, ou le Musée russe de Leningrad, ou des églises transformées en musées, ou d'autres collections d'art plus local.

Les couleurs employées pour peindre les icônes sont d'origine minérale (carbonates, silicates, oxydes, etc.) ou organique (extraits de substances végétales ou animales). Toute une science de la lumière guide les artistes pour leurs rapprochements. La dorure des nimbes ou des fonds est très importante et devient source d'illumination de la peinture. En outre, appliqué en traits fins et parallèles, l'or les pénètre et leur donne un éclat décoratif et joyeux (ce que l'on appelle *assisto*) que l'on trouve souvent sur les vêtements du Christ en gloire, de la Mère de Dieu, sur les ailes des anges.

Il n'existe ni clair-obscur, ni ombres pour donner du relief, mais on suit la méthode de l'éclaircissement progressif en ajoutant des traits de pinceau toujours plus clairs partant d'une base sombre.

D'autres procédés, que nous renonçons à décrire, permettent un savant usage de la couleur à la détrempe sur les icônes, et le peintre, même en s'inspirant de précédents modèles, répète en général le symbolisme lié à quelques couleurs : ainsi le rouge et le pourpre sont le symbole de la divinité, tandis que le vert et le bleu sont celui de tout ce qui est terrestre. C'est pourquoi le Christ est presque toujours représenté avec une tunique pourpre (la divinité inhérente à sa personne) et un manteau bleu (l'humanité qu'il a assumée dans l'incarnation), tandis que la Mère de Dieu a une robe bleue, en tant que créature, et un manteau pourpre qui rappelle son extraordinaire proximité du divin.

L'anatomie du corps humain et ses proportions n'ont pas grande importance pour les iconographes. Les visages sont souvent bronzés, d'une teinte plus sombre que la normale, justement parce qu'on ne veut pas reproduire la nature, mais exprimer la réalité sipirituelle de l'homme transfiguré. Voilà pourquoi les yeux sont parfois agrandis et ont un regard fixé sur l'au-delà ; le front large et haut accentue la prédominance de la pensée contemplative.

L'*architecture* qui apparaît sur les icônes est surprenante. Elle ne tient aucun compte des proportions ; portes et fenêtres se trouvent à d'étranges places, avec des dimensions souvent inutilisables. Les intérieurs ont seulement quelque apparence de paroi ; une tenture tirée sur le fond signifie qu'on n'est pas à l'extérieur. Les mondes végétal et animal, quand ils sont représentés, le sont par allusions, dans des formes parfois extraordinaires, contre toute logique humaine.

La *perspective est le plus souvent inversée* et contribue à cette harmonie de l'ensemble, typique de l'icône : les lignes perspectives ne se rencontrent pas en un point de fuite situé à l'arrière de la peinture, mais en un point placé à l'avant. Les lignes de force partent de l'intérieur vers le spectateur ; la scène, ou la figure, représentée, envoie ses rayons vers celui qui s'ouvre pour les recevoir. C'est le contraire d'une peinture (renaissance par ex.), où, par des procédés spéciaux, on cherche à donner de la profondeur à la scène peinte. Dans l'icône, l'événement représenté est au premier plan et les personnages du fond, au moins en certains cas, semblent sur le même plan que ceux qui sont en avant.

Même si on ne se limite pas à un premier plan, l'espace est sur l'icône peu profond ; il n'y a aucune illusion, ni corps à trois dimensions.

En même temps que la perspective inverse, des éléments architecturaux et des objets (sièges, etc.) sont parfois dessinés en perspective axionométrique [4], et les roches aussi sont représentées dans les paysages avec cette même méthode du mouvement en avant.

On peut dire que, dans l'ensemble, grâce à ces procédés de représentation, *la ligne de force va de l'intérieur de l'icône vers le spectateur.*

La *construction géométrique* de la figure, ou de la scène, peinte sur l'icône se reproduit facilement : carré, rectangle (un portrait en pied est la somme de trois carrés superposés), triangle, cercle sont les supports que l'on ne remarque pas toujours au premier regard, mais, facilement reconstitués, ils donnent harmonie à l'ensemble.

---

4. Diversité de mesure, de proportion, d'orientation des objets dont les diverses parties devraient être égales.

Les inscriptions (noms)

Une icône peinte doit comporter l'inscription du nom de ce qu'elle représente. Ce n'est qu'ainsi qu'elle acquiert complètement son caractère sacré, sa dimension spirituelle. A ce sujet il faut avoir présente à l'esprit l'importance du « nom » dans le Premier Testament : il n'est pas seulement signe distinctif ou titre, mais communication avec la substance de l'original. Par son inscription l'icône est liée au prototype dont elle est la représentation.

L'inscription est faite dans une des langues liturgiques byzantines, grec, slave, arabe, etc. Et puisque les langues modernes sont elles aussi acceptées par certaines Eglises orthodoxes, des « noms » inscrits en français, ou en langues similaires, ont aussi timidement fait leur apparition sur les icônes.

Normalement sur les icônes russes ou balkaniques, et sur celles examinées par nous, les inscriptions sont écrites en alphabet cyrillique [5]. On conserve cependant les abréviations grecques pour indiquer la Mère de Dieu MR TH, Jésus-Christ IC XC, et parfois le saint (HAGIOS). Sur l'auréole du Christ où est dessinée une croix, on trouve toujours les trois lettres oOe, c'est-à-dire « Celui qui est », le

---

5. Du nom de saint Cyrille qui, avec son frère Méthode, fut le premier à évangéliser les peuples slaves et inventa ces caractères pour traduire par écrit, dans la langue parlée, les passages de la Sainte Ecriture lus pendant la Liturgie. En réalité, les caractères utilisés maintenant sont plus simples que les anciens.

nom de Dieu révélé à Moïse devant le buisson ardent. La première lettre se trouve sur le bras gauche, l'O en haut, au centre, et la troisième sur le bras droit de la croix.

La forme des lettres, surtout sur les icônes slaves, varie selon l'époque de leur exécution ; elle constitue ainsi un élément permettant de les dater.

Il revient au prêtre, auquel l'icône est présentée pour la bénédiction finale, de vérifier l'exactitude du nom inscrit par rapport au sujet peint. Si tout est conforme à l'ancienne et exacte tradition, et dans ce cas seulement, il prononcera les prières qui en feront un objet de culte, un sacramental pour les fidèles.

7

L'icône dans la liturgie
et la dévotion privée

Dès la plus haute antiquité l'image a accompagné la vie liturgique chrétienne ; il suffit de penser aux fresques des catacombes pour le comprendre.

Quand on entre dans une église byzantine on est saisi par la richesse de sa décoration : fresques et mosaïques ornent très souvent les murs, ainsi que de nombreuses icônes. Celles-ci ne se trouvent pas seulement sur l'iconostase [1], mais sur les murs et sur des pupitres inclinés, sortes de lutrins (*analoj*, disent les Russes) qui les présentent à la vénération et aux baisers des fidèles. L'emplacement des icônes principales est strictement fixé : l'icône du Christ, ou celle de la Mère de Dieu, domine sur le fond du sanctuaire, derrière l'autel. (Un saint ne peut y figurer). L'icône du Saint, patron de l'église, ou celle du mystère dont elle porte le nom sera exposée en un lieu plus en vue que celles des autres, et aura normalement des dimensions supérieures.

Les orthodoxes sont habitués aux icônes

_____

1. Voir p. 34 et suivantes.

dès leur enfance, et comme ils ont reçu à ce moment l'explication de leurs sujets, ils les reconnaissent tout de suite et s'en approchent avec foi et respect. En effet, en entrant dans une église, les prêtres et les fidèles de tradition byzantine, qu'ils soient orthodoxes ou catholiques [2], ne font pas de génuflexion, mais ils s'approchent des icônes exposées sur les *analoj*, inclinent la tête avec respect, font de une à trois fois le signe de la croix [3], en touchant parfois la terre du bout de leur main droite. Ensuite, après une courte prière, ils baisent d'abord l'image du Christ, toujours placée à droite, puis à gauche, celle de la Vierge, et enfin, éventuellement, celle de la fête ou du temps liturgique. Cette dernière se trouve toujours au centre de l'église sur un haut pupitre. A côté des icônes il y a un gros cierge ou un support de plusieurs chandelles que les fidèles aiment allumer en signe tangible de leur prière [4].

L'icône d'une fête importante est apportée solennellement par le prêtre pendant l'office de la vigile. Elle est déposée à la place prévue avec chants, encensement, souvent ornée de

---

2. On compte environ 200 millions d'orthodoxes et environ 8 millions de catholiques de rite byzantin : ukrainiens, melkites, roumains, russes, etc.

3. En Orient le signe de la Croix se fait en touchant l'épaule droite avant la gauche (en Occident, c'est le contraire).

4. En Russie, lorsque les églises sont bondées, il est encore d'usage de toucher l'épaule du fidèle placé devant soi et de lui confier le cierge en lui disant où il doit être déposé (icône de la Vierge, ou de saint Nicolas, ou autre). Le second le passe à l'autre personne placée devant lui, et ainsi de suite ; les cierges parcourent alors des dizaines de mètres avant d'arriver à destination.

fleurs, et reste exposée pendant tout l'après-fête, environ une semaine, tandis que l'icône de la Résurrection est enlevée seulement la veille de l'Ascension de N.S. Jésus-Christ.

L'icône est partie intégrante de la liturgie byzantine et complète l'annonce du mystère commémoré, ou plutôt revécu par l'Eglise à l'aide des textes liturgiques lus [5] ou chantés. Il a été remarqué qu'il ne s'agit pas d'une somme : parole + image, mais d'une synergie qui donne puissance à l'annonce qui est faite. Le rapprochement de l'icône avec la Sainte Ecriture pendant la liturgie a été souligné par différents Pères et trouve son fondement dans le VIIe Concile œcuménique (IVe de Constantinople).

« Nous décrétons que l'image sacrée de Notre Seigneur Jésus-Christ doit être vénérée avec le même honneur que sont vénérés les Saints Evangiles, parce que, de même qu'à travers les paroles contenues dans ce Livre, nous arrivons tous au salut, ainsi grâce à l'action exercée par les icônes à travers leurs couleurs, tous, savants et ignorants, nous en tirons utilité et profit... Il est donc convenable, en conformité à la raison et à la plus ancienne tradition, puisque l'honneur remonte au prototype, d'honorer et de vénérer les images comme le Livre sacré des Saints Evangiles et comme la précieuse Croix. »

---

5. Les textes du « propre » d'une fête sont beaucoup plus nombreux et plus longs que ceux des missels latins. Les *Minei* sont en effet imprimés dans douze volumes, un pour chaque mois, avec le propre des fêtes à date fixe, et aussi celui des saints les moins connus ; plusieurs pages sont lues ou chantées pendant l'office du jour. Les prières sont aussi chantées pendant la Liturgie eucharistique.

Il suffit d'assister à une Liturgie eucharistique, ou à des Vêpres, ou à tout autre office byzantin, pour noter combien sont fréquents les encensements des icônes, ou ceux adressés à la fois aux fidèles et aux images sacrées, comme pour souligner l'unité des Eglises terrestre et céleste : les icônes nous permettent d'entrer plus facilement en communion avec l'Eglise triomphante pendant notre pénible cheminement humain.

Les icônes sont portées en procession par les prêtres, ou par des personnes désignées par eux. On les tient souvent avec respect sur un linge brodé pour éviter le contact direct des mains. On bénit aussi avec l'icône, et la vénération des icônes, le Premier Dimanche de Carême, jour de la Fête de l'Orthodoxie qui rappelle le rétablissement de leur culte [6], est particulièrement solennelle.

Si « la vie liturgique et sacramentelle est inséparable de l'image » [7], l'icône est aussi partie intégrante de la dévotion privée. Assurément dans quelques pays orientaux ou l'athéisme est exalté comme doctrine-guide, les formes traditionnelles de la piété familiale ont changé, ou se sont au moins cachées, bien que vivantes à cause du caractère héréditaire des sentiments profonds.

On trouvait toujours dans les maisons « le bel angle », c'est-à-dire un angle de l'entrée

---

6. Voir p. 70 et suivantes.
7. L. OUSPENSKY, *Essai sur la théologie de l'icône dans l'Eglise orthodoxe* I, Paris, 1960, p. 11.

ou d'une autre pièce où étaient accrochées quelques icônes, avec une lampe brûlant sans cesse devant elles. Quiconque entrait, faisait toujours une révérence, ou tout autre signe d'hommage aux icônes, avant même de saluer le maître de maison. Elles étaient suspendues assez haut pour guider le regard vers le Très-Haut, le Premier et l'Unique nécessaire. On récitait devant les icônes les prières du matin, celles du soir, ou d'autres à l'occasion d'une circonstance familiale.

Les grands événements de la vie étaient marqués par des icônes spéciales ; très souvent on commandait une icône à la naissance d'un enfant, et cette icône de son saint patron avait la même longueur que celle du bébé au moment de sa naissance ; parfois même on en mettait une autre de moindres dimensions sur le berceau. Avant la cérémonie d'un mariage les parents bénissaient leurs enfants avec une icône, généralement celle de la Vierge ; pendant le cortège vers l'église la mariée était précédée par un enfant portant l'icône que l'on suspendrait à la place d'honneur dans le nouveau foyer. Le fils qui partait aux armées était lui aussi béni avec l'image sacrée. En certaines régions une icône est mise entre les mains des défunts ; comme ceux-ci sont souvent, même à l'église, exposés à découvert dans leur cercueil, les fidèles leur disent adieu en baisant cette icône.

On trouve aussi des « icônes familales » où sont représentés tous ensemble les saints dont les membres de la famille portent le nom. Quelquefois ces saints patrons sont peints sur les côtés d'une icône ayant pour centre, par exemple la Mère de Dieu [8].

« Dans sa fonction liturgique, symbiose des sens et de la présence, l'icône consacre la nature : d'une habitation neutre elle fait une « église domestique », de la vie d'un fidèle, une liturgie intériorisée et continue » [9].

Pour préparer à l'éternelle liturgie céleste, que ce soit dans l'église ou dans la maison, l'icône aide à faire pénétrer la révélation divine dans le peuple croyant, le dirige et le sanctifie.

8. Par ex. la Vierge du Signe, décrite p. 93, fig. 7.
9. P. EVDOKIMOV, *La connaissance de Dieu dans la tradition iconographique*, dans Unité Chrétienne, N° 46-47, Lyon, 1977, p. 59.

Quelques moments dans l'histoire de l'iconographie

Il est difficile de préciser à quel moment les icônes ont surgi dans l'histoire. Une tradition assez répandue attribue les premières à saint Luc qui, admis dans l'intimité de la Mère de Dieu encore en vie, en aurait peint au moins trois types : une Vierge *Hodighitria*, avec l'Enfant assis sur son bras droit tandis que, de l'autre, elle le désigne à tous comme la « voie » ; une Vierge de la Tendresse, où les visages de la Mère et de son fils, l'Enfant Dieu, sont unis par une douce expression d'affection réciproque ; enfin une troisième, sans Jésus, où la Vierge est dans une attitude de prière peut-être comme dans la *Déesis*, ou Intercession.

Notre Dame agréa cet hommage pictural. En effet, nous rapporte un antique traité destiné aux iconographes, « elle remercia et bénit le saint apôtre et évangéliste Luc pour son art pictural en disant : "Que la grâce de celui que j'ai mis au monde soit avec eux par mon intercession." »[1].

---

1. *Denis de Furna, Guide de la peinture.* C'est un traité

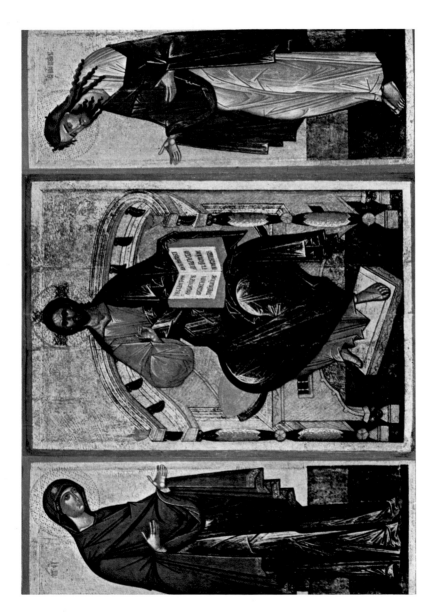

1

5

8

А. ПРП. СЕРГIЙ РАДОНЕЖСКЧ ЧДА

9

РОⷮСТВО ГА НАШЕГО ІСА ХА

10

11

12

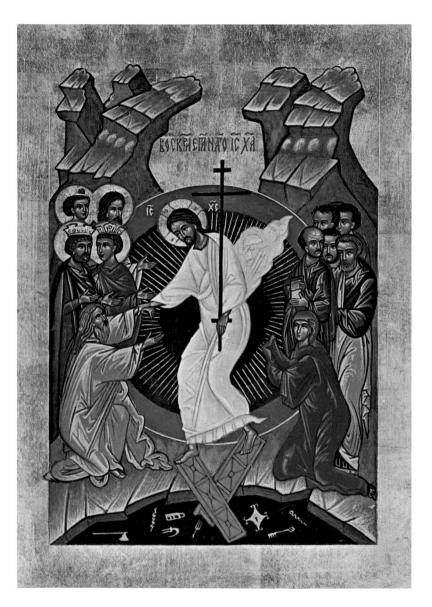

13

14

15

16

Les critiques d'art relient les débuts de l'icône avec les peintures à la cire employées pour peindre les masques à appliquer sur les momies égyptiennes, ou aux portraits des empereurs romains et byzantins auxquels on attribuait une vertu de présence les rendant aptes à recevoir des hommages quand la personne physique de l'empereur était absente. Un autre a voulu rattacher l'icône au *Labarum* romain sur lequel étaient dessinés une croix et le buste de l'empereur [2].

Il existe ensuite une autre tradition qui relie l'icône à l'image *achéropoiète* envoyée par le Christ lui-même à Agbar, roi d'Edesse. La légende précise que le roi était lépreux. Désirant guérir, il envoya une délégation à Jésus qui prêchait en Palestine pour solliciter son intervention miraculeuse et son portrait. Le Christ l'exauça et il se serait essuyé le visage en y laissant l'impression de ses traits. Ce serait l'origine du *Mandylion*, relique très vénérée à Constantinople quelques siècles plus tard, et qui donna naissance à une cérémonie spéciale, célébrée encore de nos jours, le 16 août, bien que, à un certain moment, le *Mandylion* ait été perdu.

L'Achéropoiète, c'est-à-dire le Visage Sacré qui n'a pas été réalisé de main d'homme, est considéré par beaucoup de gens comme la

écrit au XVIIIe siècle sur le Mont Athos, mais qui parle d'une tradition iconographique remontant au moins au VIIIe siècle.

2. P. DE BOURGUET, *La Naissance de l'icône à Byzance*, dans la revue « Plamia » du centre russe de Meudon-Paris, p. 34-35. On y trouve la description du Labarum, faite par Eusèbe.

première icône, et son rôle de protection et de victoire sur le mal aurait été transmis à toutes les autres icônes, même à celles de la Mère de Dieu ou des saints.

Nous n'avons pas l'intention d'écrire une nouvelle histoire de l'icône qui occupe pourtant une place particulière dans l'art byzantin, liée ainsi à Byzance, devenue ensuite Constantinople, capitale de l'empire d'Orient. Tandis qu'en Occident on sépare habituellement l'art antique de l'art médiéval, l'icône se maintient en Orient jusqu'à la chute de Constantinople en 1453 et plus tard, spécialement dans les nouveaux centres artistiques surgis en concomitance avec la diffusion de de l'orthodoxie en Russie, en Macédoine, etc.

Malheureusement de nombreuses icônes antiques ont été détruites par les iconoclastes ; mais ce fut justement à cette époque qu'est apparue leur importance à travers les souffrances et le martyre de tant de défenseurs des icônes ; c'est alors que s'est développée la théologie nécessaire pour les comprendre.

Il faut noter que, déjà à l'époque de l'hérésie d'Arius, on commence à inscrire de chaque côté de l'image du Christ les deux lettres alpha et oméga, en référence au passage de l'Apocalypse 2,13, pour mieux affirmer la divinité du Fils consubstantiel au Père [3].

Des règles relatives à l'art sacré sont précisées dans trois des canons du Concile *in Trullo*, appelé encore *Quinisexte*, de 691.

---

3. BRÉHIER, *L'art chrétien*, p. 67.

L'une d'elles spécifie que la Croix ne doit plus être représentée sur un pavement :

« afin que ce signe de notre victoire ne soit pas foulé par les pieds des passants ».

Le canon 82 ordonne qu'on ne peigne plus un agneau au lieu du Christ, mais que soient au contraire représentés :

« les traits du Christ notre Dieu, l'agneau qui porte les péchés du monde ; ainsi nous comprendrons la profonde humilité du Verbe de Dieu et nous serons conduits au souvenir de sa vie dans la chair, de sa passion, de sa mort, cause de notre salut et de la Rédemption qui en est résultée pour le monde » [5].

L'Eglise du VIIe siècle s'intéresse donc au contenu de l'image offerte aux fidèles et prend conscience de la nécessité d'un renouvellement en passant des préfigurations du Premier Testament aux réalités nouvelles. C'est aussi la première fois qu'une décision conciliaire établit le lien entre l'icône et le dogme de l'Incarnation. Le canon 100 enfin ordonne que l'on n'exécute plus « ces peintures qui enchantent la vue et corrompent l'esprit en allumant les flammes des désirs impurs. » Il existait donc une hérédité païenne qui s'infiltrait jusque dans des tableaux qui devaient rester sacrés.

Les canons du Concile *in Trullo,* pourtant signés par l'empereur et les patriarches de Constantinople, Jérusalem et Antioche, ne furent pas acceptés pour bien des raisons par

---

4. RHALLI PATLI, *Syntagma d'Athènes,* t. II, 1852, p. 474.

le pape de Rome. C'est ainsi que l'Occident resta étranger à l'enseignement portant sur la base christologique de l'icône.

Par contre l'Eglise d'Orient et l'Eglise d'Occident s'unirent encore au deuxième Concile de Nicée, septième et dernier des grands Conciles de l'Eglise unie du premier millénaire, qui répondit aux négations et aux doutes des iconoclastes en affirmant clairement :

> « Cet art (iconographie) n'a pas été inventé par les artistes. Au contraire, c'est une institution approuvée de l'Eglise catholique [5]. Seul le côté artistique de l'œuvre appartient à l'artiste, mais son institution dépend d'une manière évidente des Saints Pères et leur appartient » [6].

Iconoclaste signifie littéralement « briseur d'icônes » ou d'images sacrées. Ce mot est utilisé pour désigner les ennemis fanatiques de l'emploi et du culte des images, qui apparurent dans l'empire byzantin aux VIIIe et IXe siècles. L'histoire de l'iconoclasme se déroula en deux temps sous la direction des empereurs byzantins. Entre ces deux époques il y eut une période de tranquillité qui permit le déroulement du VIIe Concile œcuménique, à Nicée en 787. La guerre fut déclarée aux images en 725 par l'empereur Léon III l'Isaurien, qui se laissa peut-être influencer par le judaïsme et l'islamisme. Il y avait certaine-

---

5. Dans le sens de « universel » ; c'est l'expression utilisée dans le Symbole de Nicée, sans se rapporter à l'usage actuel du mot « catholique » pour indiquer l'Eglise d'Occident dirigée par le Pape de Rome.
6. MANSI, Nic. II, 6e sess. 252C.

ment eu des exagérations dans la vénération des icônes (on en était arrivé à mélanger aux espèces eucharistiques des parcelles de couleurs prélevées sur les peintures religieuses pour les donner aux fidèles pendant la Communion) ; mais cette violente tempête iconoclaste servit seulement à exciter les partis opposés. Lorsque, en janvier 720, l'icône du Christ fut lacérée dans le quartier de Calchis à Constantinople, il y eut une émeute populaire aussitôt étouffée dans le sang. Malheureusement divers évêques adoptèrent le point de vue de l'empereur et le courageux patriarche de Constantinople, saint Germain, défenseur des icônes, fut contraint à se démettre. L'opposition aux images sacrées continua encore sous l'empereur Constantin V Copronyme et l'on en arriva à une déclaration officielle — un *oros* — signé par 338 évêques, qui condamnait l'emploi et le culte des images, tout en admettant un certain culte d'intercession adressé à la Vierge et aux saints. Mais le peuple et surtout les moines protestèrent. Ce fut le début d'une véritable persécution ; il y eut des exilés, des emprisonnés, des torturés et même des martyrs parmi les défenseurs des icônes, et l'on détruisit sauvagement les objets sacrés. De 775 à 780 la lutte iconoclaste s'adoucit et quand, à la mort de l'empereur, sa veuve Irène assuma le pouvoir au nom de son fils de six ans, Constantin VI, la restauration du culte des images fut alors possible.

L'impératrice envoya en 785 une délégation à Rome pour proposer au pape la convocation d'un Concile œcuménique. Le pape Adrien Ier approuva et envoya des délégués qui assistèrent le 17 août de l'année suivante à l'ouverture d'un Concile dans l'église des Saints Apôtres, à Constantinople. Mais des soldats iconoclastes se rebellèrent, et Irène fut contrainte à renvoyer le Concile ; celui-ci se déroula ensuite à Nicée, en 787. Il jeta l'anathème sur l'iconoclasme, expliqua et justifia le culte rendu aux images sacrées. La paix paraissait rétablie, mais, en 813, avec l'élection de l'Arménien Léon V, soutenu par une révolte militaire, la guerre contre les images sacrée se ralluma. Le patriarche de Constantinople, saint Nicéphore, dut donner sa démission en 815, et la persécution contre les iconophiles fut encore plus violente que la précédente ; des évêques furent chassés de leurs diocèses, des monastères fermés, des moines et des fidèles emprisonnés, torturés, parfois jusqu'à la mort. Léon l'Arménien fut assassiné en 820, mais, sous ses deux successeurs, la guerre iconoclaste continua, coupée de quelques courtes trêves. En 842 seulement, après la mort de l'empereur Théophile, sa veuve, la régente Théodora, favorable aux icônes, en restaura le culte avec prudence. Elle commença par éloigner le patriarche inconoclaste et le remplaça par Méthode, qui sera canonisé. Le 11 mars 843, premier dimanche de carême, on put enfin célébrer solennellement la victoire des défenseurs des icônes, dite « Triomphe de l'Orthodoxie ». Cette fête se célèbre encore de nos jours le premier dimanche de Carême avec de très belles prières et des textes où sont réaffirmées la validité et l'importance du culte rendu aux images sacrées. Pendant cette fête de très nombreuses icônes sont portées en procession.

Les luttes iconoclastes n'eurent que d'indirectes répercussions en Occident où arrivèrent des moines échappés des persécutions, en apportant souvent leurs icônes. Les papes, déçus par les empereurs orientaux devenus hérétiques et incapables devant les invasions barbares, commencèrent à placer leur confiance dans la nouvelle puissance politique née en Occident avec Pépin le Bref et Charlemagne. Des incompréhensions réciproques préparèrent la voie à la rupture définitve de 1054. De plus, au sujet des icônes, surgit également l'équivoque liée aux *Livres Carolins*. Les Actes du VIIe Concile œcuménique furent très mal traduits en latin et des malentendus s'élevèrent sur l'interprétation de certains termes.

Charlemagne, auquel le pape avait envoyé les Actes du Concile de 787, éleva des protestations à leur sujet et chargea des théologiens francs de rédiger ces *Livres Carolins* pour exposer ses objections. On y lit :

> « Il est absurde et téméraire de mettre sur le même plan les icônes et l'Eucharistie et de dire : " Comme les fruits de la terre se transforment, en un mystère digne de notre vénération, ainsi les images se transforment, par la vénération qu'on leur témoigne, en ceux qui sont représentés sur les images » [7].

---

7. HEFELE, *Histoire des Conciles*, t. III, 2e partie, page 1073.

Mais le second Concile de Nicée n'avait jamais dit cela, ni rien de semblable ! Le précieux enseignement théologique sur l'icône, formulé par le VIIe Concile œcuménique arriva donc déformé en Occident, bien que les légats du pape en aient signé le document final [8].

Il est significatif que le triomphe sur l'iconoclasme reste perpétuellement commémoré par la « Fête de l'Orthodoxie », et le *Kontakion* de ce jour en résume bien les raisons :

> « Le Verbe de Dieu que l'univers ne peut contenir se laisse circonscrire en s'incarnant de toi, ô Mère de Dieu, et restaure l'antique image souillée par le péché en lui ajoutant sa divine beauté. Confessant le salut en parole et en action, restaurons, nous aussi, notre ressemblance avec Dieu. »

De nouveaux Conciles réellement œcuméniques, comprenant en même temps des représentants des Eglises d'Orient et d'Occident, ne furent jamais plus convoqués. On trouve cependant quelques conciles locaux qui parlent de l'art de l'icône et de l'art sacré en général. Par exemple le Concile orthodoxe de Moscou en 1551, dit des Cent chapitres, rappelle l'importance de la véritable iconographie et donne comme modèle le moine Rou-

---

8. MANSI XIII, coll. 1119. « In nomine Domini nostri Jesu Christi, Petrus misericordia Dei, archipresbiter santae ecclesiae catholicae et apostolicae et locum tenens Hadriani Simi et apostolici papae senioris Romae, omnes illos recipiens qui conversi sunt ab impia haeresi reprobantium venerabiles imagines, secundum doctrina et traditionem sanctorum Patrum nostrorum, omnia quae superius afferuntur approbansiisque consentiens, subscripsi. »

blev ; le Concile catholique de Trente, dans son décret *de invocatione, veneratione et reliquiis Sanctorum et sacris imaginibus,* dans une référence au second Concile de Nicée [9] et de même Vatican II par de très belles expressions [10] nous aident à comprendre l'art sacré en général et en particulier l'iconographie.

9. Cf. DZ 984 : « Mandat sancta Synodus omnibus episcopis (...) ut legitimo imaginum usu fideles diligenter instruant, docentes eos (...). Imagines porro Christi etc (...) in templis presertim habendas et retinendas, eisque debitum honorem et venerationem impertiendam, non quod credatur inesse aliqua iniis divinitas vel virtus, propter quam sint colendae (...) sed quoniam honor, qui eis exhibetur, refertur ad prototypa, quae illae repraesentant (...). Id quod Conciliorum, *praesertim vero secundae Nicenae Synodi* decretis, contra imaginum oppugnatores est sancitum. »
10. Ad. ex. Constitut. *Sacrum Concilium,* 122-129 ; *Gaudium et spes,* 62.

2

Examinons
quelques icônes

9

Quinze icônes

Après avoir traité de l'icône en général, il est opportun de s'arrêter sur quelques icônes et de les examiner en détail. Outre l'intérieur d'une petite église byzantine, on a choisi quinze icônes représentant les divers sujets que l'on rencontre le plus communément. A côté de quelques chefs-d'œuvre de renommée mondiale, on a retenu de préférence des icônes inédites (toutes de l'école russe) qui sont encore vénérées dans des églises ou des familles et ont été mises aimablement à notre disposition par leurs propriétaires.

Certaines ont été peintes en Russie au cours des deux siècles et demi qui nous précèdent, d'autres en Europe occidentale pendant ces dernières années ; mais toutes ont été exécutées avec la traditionnelle détrempe à l'œuf, en respectant fidèlement les modèles (*podliniki,* disent les Russes) consacrés désormais par la tradition et admis par l'Eglise.

On s'y inspire souvent des chefs-d'œuvre exposés maintenant dans les musées [1], comme

---

1. La *Galerie Tretiakov* de Moscou, avec ses 4 260 icônes, en est la plus importante collection mondiale, et on y

nous l'indiquerons à chaque fois, mais la personnalité de l'auteur, presque toujours anonyme selon l'usage des siècles, laisse diverses traces de son propre langage pictural.

Dans la limite de notre choix nous examinerons une à une :

— des *Icônes de N.S. Jésus-Christ : Déesis* (fig. 1) ; la Sainte Face (fig. 2) ; le Christ *Pantocrator* (fig. 3) ; le Christ bénissant (fig. 5) ; Crucifixion (fig. 12).

— des *Icônes de la Mère de Dieu :* Vierge du Signe (fig. 7) ; Vierge de la Tendresse (fig. 8) ; Vierge *Hodighitria* (fig. 6) ; Vierge de Kazan (fig. 4) ; Vierge de Vladimir (fig. 14) (détail).

— l'*Icône d'un saint :* saint Serge de Radonège (fig. 9).

— des *Icônes de fêtes :* Nativité du Christ (fig. 13) ; Dormition de la Mère de Dieu (fig. 11).

— une *Icône de la Sainte Trinité :* (fig. 15).

trouve aussi bien représentées, des icônes byzantines, grecques, etc. A Leningrad, le *Musée Russe* renferme de nombreuses et splendides icônes. Le *Musée Roublev*, relativement récent et lui aussi à Moscou, contient d'antiques icônes russes dont le nombre augmente sans cesse par suite de nouvelles trouvailles et restaurations. A Kiev, Novgorod, Jaroslav, etc., existent des musées avec de riches collections d'icônes. Rappelons-nous qu'en URSS beaucoup d'églises ont été fermées et les icônes des lieux du culte ou des familles, surtout d'émigrés, ont été confisquées comme « patrimoine artistique national ».

Icones de Notre Seigneur Jésus-Christ

Le visage humain du Christ fut le sujet de la première icône (en prenant ce mot dans son sens le plus étendu d'image). Il n'est donc pas étonnant que la tradition attribue à Jésus vivant l'envoi de son portrait miraculeusement apparu sur un morceau de toile (le *Mandylion*) à un roi d'Edesse nommé Abgar V Ukhamn [1].

Achéropoïète, c'est-à-dire peinte sans l'aide d'une main (humaine) : c'est ainsi qu'on appelle par assimilation l'icône, pourtant postérieure, qui s'efforce de rendre la mystérieuse beauté du visage du Christ. Il en existe divers types, mais tous d'une beauté sévère et équilibrée : on voit seulement la tête, sans le cou, avec la barbe ; les yeux, immenses, ont une particulière importance dans l'ensemble. La « Sainte Face » de la tradition occidentale possède une ressemblance évidente avec l'Achéropoïète byzantine.

L'exemplaire reproduit dans cet ouvrage

---

1. Voir p. 65.

(fig. 2) a probablement été peint en Russie au siècle dernier*; sur certains points il dénote l'influence de l'art du portrait en Occident, qui rabaissa le niveau des meilleures icônes. Il est pourtant de noble facture, conserve le type traditionnel et possède une belle *rjsa* partielle, argentée, sur laquelle est reproduit le motif des deux anges qui, dans le haut, soutiennent l'étoffe. En bas l'inscription, en slave, signifie : « Sauveur qui n'a pas été fait de main d'homme. »

L'*Emmanuel* est une représentation à mi-buste du Christ enfant, souvent entouré par un nimbe de gloire. Il bénit d'une main et tient de l'autre le rouleau des Ecritures. Il a cependant l'aspect d'une personne d'âge mûr, comme il convient à celui qui est Dieu depuis toujours. Cette image est utilisée dans le sens bien précis de *Logos* préexistant, surtout dans certaines figurations symboliques.

Le *Christ Pantocrator* est la représentation byzantine la plus fréquente. Mosaïque ou fresque de dimensions gigantesques, elle domine dans les coupoles de nombreuses églises. Elle peut représenter toute la personne du Christ, assis sur un trône (comme dans la *Déesis* de la fig. 1), entouré parfois par des séraphins, des flammes ou des lumières qui rappellent les visions décrites par saint Jean dans l'Apocalypse.

On le voit plus souvent en buste et bénissant. Le visage du Christ *Pantocrator* (mot

---

2. C. CAPIZZI, *Pantocrator, saggio d'esegesi letterario-iconografico*. N° 170 de « Orientalia Christiana Analecta ».

qui signifie « Celui qui renferme tout »[2], traduit fréquemment par « le Tout-Puissant ») semble parfois sévère, mais il a toujours une expression de bonté, en particulier dans les icônes slaves où s'humanisent les traits hiératiques des *Pantocrator* de Constantinople et de Grèce. De la main gauche il tient un Evangile, fermé parfois, mais le plus souvent ouvert, où l'on peut lire un bref passage évangélique, ou une phrase qui en découle, tels que : « *Venez à moi, vous tous qui êtes fatigués et harassés. Prenez sur vous mon joug, car il est léger* », ou bien « *Je suis la Voie, la Vérité et la Vie* », ou encore : « *Ne jugez pas d'après les apparences, mais avec justice ; la mesure avec laquelle vous mesurerez servira pour vous* », etc.

Dans le nimbe qui entoure toujours la tête du Sauveur se trouve également toujours une croix, dont les trois bras supérieurs portent cette inscription : « *Celui qui est* », formée par les lettres grecques, O en haut, oméga à gauche et N à droite (usage slave, les Grecs plaçant le O à droite et l'oméga en haut).

La main droite du Christ est levée dans un geste de bénédiction, et ses doigts sont disposés comme le sont ceux des prêtres byzantins, l'extrémité du pouce touchant celle de l'annulaire. D'autres fois les doigts du Christ esquissent son monogramme : l'auriculaire indique le I ; l'annulaire le C ; le majeur et le pouce

Outre l'interprétation : « Celui qui renferme tout », il donne aussi celle de « Souverain universel », et de « Gardien de tous les êtres ».

sont croisés pour former le X, et l'index sert pour le second C (I C X C = Jésus-Christ). L'icône doit comporter en effet le « nom » de la figure représentée. Pour Jésus-Christ l'usage veut que l'on place en haut l'inscription grecque ICXC, même sur les icônes exécutées en Russie.

La fig. 3 représente un Christ *Pantocrator* peint par un iconographe vivant se conformant aux modèles russes. En effet l'inscription sur l'Evangile est donnée en slavon avec des abréviations ; c'est celle citée ci-dessus : «*Ne jugez pas... etc.* ». La couleur rouge de la robe est de tradition pour indiquer la divinité, tandis que le bleu du manteau est le signe de l'humanité du Christ.

Remarquons la disposition des doigts de la main droite bénissante : les groupes de trois et deux doigts rappellent respectivement la Sainte Trinité et les deux natures de Jésus-Christ. Et c'est du Dieu Trine que provient toute bénédiction à travers le Christ fait homme.

La figure 5 reproduit une autre icône russe du Christ *Pantocrator* bénissant. Elle est recouverte d'une belle *rjsa* en métal doré. Notons qu'il est aussi de face et sa main droite a les mêmes mouvements que celle de l'icône précédente. Sur le nimbe croisé sont évidentes les trois lettres grecques, et sur les côtés les quatre autres donnent le nom de l'icône. De plus, à la hauteur du cou, est écrite en slave la traduction de Pantocrator (Gospod vsedergitel). L'inscription sur l'Evangile ouvert est la suivante : « *Venez à moi,*

vous qui est fatigués, et je vous donnerai la
paix. Prenez mon joug. »

Le coloris du visage et des mains, visibles
sous le revêtement métallique, n'est certes
pas celui d'une carnation naturelle, mais
l'usage habituel exige qu'il soit de teintes
sombres. Quelques critiques pensent que cela
dérive aussi du fait que sur les anciens modèles recopiés le vernis était devenu noirâtre.

On trouve aussi le Christ peint sur des
icônes composites, comme celles des *mys-*
tères de la vie du Seigneur, avant tout ceux
des grandes fêtes (Résurrection, Noël, Transfiguration, etc.). Il y a aussi les icônes de la
Passion du Christ, des miracles qu'il a opérés,
de ses apparitions après la Résurrection, du
Jugement dernier...

Très connue et très répandue est l'icône de
la *Déesis,* mot grec que l'on peut traduire par
Intercession. Le Christ, placé au centre, tantôt en pied, tantôt en buste, a à sa droite (à
gauche de l'observateur) sa Mère dans une
attitude de supplication, et, à sa gauche, saint
Jean-Baptiste en prière, lui aussi légèrement
incliné et tourné vers le Christ Jésus (fig. 1).
Le ciel de la *Déesis* s'étire parfois pour faire
place sur les côtés aux deux archanges Michel
et Gabriel et aux saints Apôtres Pierre et Paul,
ou même à d'autres saints, ou aux saints
Patrons de l'église.

Avant d'examiner en détail une icône de la
Crucifixion nous donnons la prière récitée
habituellement devant une icône du Christ :

« Devant ta sainte icône nous nous prosternons,
Dieu de bonté, implorant le pardon de nos

fautes, ô Christ notre Dieu, car tu as bien voulu souffrir en montant sur la Croix pour sauver ta créature de la servitude de l'ennemi. Aussi dans l'action de grâce nous te crions : Tu as rempli de joie l'univers, ô notre Sauveur, en venant porter au monde le salut. »

Icône de la Crucifixion

La personne qui a peint cette icône (fig. 12) — une religieuse russe encore vivante — a choisi un chef-d'œuvre comme modèle : la Crucifixion par Denis, iconographe russe qui la peignit en 1500. Elle se trouve actuellement à la Galerie Tretiakov, à Moscou.

Cette image se voit souvent dans les églises parmi les icônes des « Douze grandes fêtes » de l'iconostase.

Sur la nôtre domine le Christ en croix qui se découpe sur un fond clair et un pan de murs blanchâtres (l'exécution du Christ advint « hors des murs de Jérusalem »). Il est à l'écart des deux groupes de personnes placés en bas sur les côtés. Il est mis en relief par la ligne exceptionnellement sombre du bois de la croix qui semble se prolonger sous terre où se trouve, selon la tradition, le crâne d'Adam.

Nous avons écrit « domine », et ce n'est pas par hasard. En effet, Jésus, pourtant dans l'immobilité de la mort, indiquée par ses yeux clos, diffuse une impression de sérénité et presque de victoire. En effet, comme le dit le tropaire pascal, que tous les orthodoxes savent par cœur car il est répété des centaines de fois pendant le temps pascal, « par sa mort

Il a vaincu la mort ». L'on pense alors à la phrase de saint Jean Chrysostome : « Je le vois crucifié, et je l'appelle Roi »[3]. Remarquons l'élégance du corps légèrement courbé vers la gauche, et aussi, sur ses flancs, celui du linge blanc finement mis en relief ; les bras fins, grands ouverts, semblent soulevés pour prier.

Dans la meilleure tradition byzantine on ne trouve jamais le réalisme du Christ souffrant sur la croix, ou dans les spasmes de l'agonie. Le Christ mort a une noblesse royale parce que le sacrifice du Dieu-Homme qui s'est offert à son Père pour la rédemption de tous a été volontaire. Dans le haut de l'icône, deux anges l'adorent et tiennent leurs mains cachées sous un voile pour témoigner un plus grand respect, tandis que d'autres anges, volant sous les bras de la croix, soutiennent les symboles de l'Eglise et de la synagogue.

Les personnes groupées en bas auprès de la croix ont, elles aussi, des corps élancés, longilignes, souples. D'un côté se tient la Vierge-Mère. Elle est représentée ici avec la main droite levée pour nous montrer la croix, et sa main gauche appuyée sur son cou et son menton semble retenir un sanglot. Trois femmes se serrent contre elle pour la soutenir physiquement et moralement. De l'autre côté, le disciple Jean paraît méditer sur le mystère de la Rédemption et le centurion Longin fixe le Crucifié avec respect et stupéfaction.

La couleur elle-même contribue à l'équi-

---

3. PG 49, 413.

libre de la composition ; les taches verdâtres, rouges, couleur de cinabre, ocre, cerise foncé et autres s'harmonisent, contribuant à l'impression de sérénité et de paix de l'ensemble. La contemplation artistique qui naît de l'icône dépasse la douleur inhérente au sujet et nous aide à croire que le Sauveur crucifié reste le *Kyrios*, le Seigneur de tout et de tous.

Trois prières

La première est la plus connue en l'honneur de la croix ; elle est récitée chaque mercredi et vendredi de l'année, les jours de fêtes de la Sainte Croix : 14 septembre, 3ᵉ dimanche de Carême et 1ᵉʳ août :

> « Seigneur, sauve ton peuple et bénis ton héritage : accorde à ta sainte Eglise la victoire sur ses ennemis et protège par ta Croix ce peuple qui est tien. »

La seconde est tirée des *Vêpres* du mercredi, premier ton :

> « Christ notre Dieu, cloué à la croix, tu as divinisé la nature humaine, tu as détruit le serpent, principe du mal : tu nous as libérés de la malédiction du bois, te faisant malédiction, dans ta miséricorde, et tu es venu, afin d'accorder à tous la bénédiction et la grande miséricorde. »

La dernière, enfin, est une prière adressée à la Mère du Crucifié :

> « Très-sainte Mère de Dieu, de mon âme soigne les plaies, guérie les blessures du péché, lave-les au flot qui jaillit du côté transpercé de ton Fils ; c'est vers toi que je crie, vers toi je me réfugie, pleine de grâce, et j'invoque ton nom. »

---

4. *La croce nella preghiera bizantina*, Brescia 1979.

11

Icônes de la Mère de Dieu

La *Theotokos*, c'est-à-dire la Mère de Dieu, est le sujet préféré des peintres d'icônes. Elle est donc prédominante dans les musées et dans les publications d'images sacrées orientales, comme dans les églises et dans les collections privées.

La très sainte Vierge Marie est rarement représentée seule, sans son Fils. L'honneur qui lui est rendu est également toujours la louange de Celui qui a pris chair dans son sein en laissant intacte sa virginité, témoignée par les trois étoiles brillantes qui ornent au front et sur les deux épaules le voile qui l'enveloppe. Elles indiquent qu'elle fut vierge avant, pendant et après l'enfantement. Seules quelques icônes d'une époque tardive, s'éloignant du canon traditionnel, représentent la Mère de Dieu en laissant voir ses cheveux. Normalement elle doit avoir sur la tête un *maforion* (sorte de voile-manteau) qui recouvre aussi la partie supérieure du visage et a souvent les bords ornés d'un galon précieux et d'une frange.

L'abréviation MR-THEOU, qui se trouve toujours près de l'auréole, signe de son rayonnement spirituel, signifie *Miter Theou* (Mère de Dieu, en grec).

L'icône mariale est l'icône par excellence de l'Incarnation, de la réalité théandrique. C'est l'origine de la place centrale qu'elle occupe dans les programmes iconographiques des églises byzantines, établis au cours des siècles qui ont suivi le Triomphe de l'Orthodoxie. Marie, Mère de Dieu, portant son Fils, orante ou en majesté, domine dès lors très souvent dans la conque de l'abside à la place de la croix victorieuse.

Divers types d'icônes mariales

La tradition qui attribue à saint Luc les premières icônes mariales [1] remonte historiquement au VIIe siècle ; mais ces icônes, qui servirent de prototypes à toutes les suivantes, ne sont pas parvenues jusqu'à nous (bien que divers sanctuaires de la Vierge nomment « vierges de saint Luc » des images de la Vierge datées de siècles postérieurs).

Saint Luc, selon la tradition, aurait peint trois icônes de la Vierge : deux avec son Fils, désignées plus tard sous le nom d'*Hodighitria* et *Eléousa* (de la tendresse), et la troisième sans son Fils.

« Notre Dame approuva personnellement ces tableaux et, en les bénissant, leur conféra sa propre grâce et sa propre puissance. Les textes liturgiques nous apprennent que la grâce et la puis-

---

1. Voir note 2, p. 40.

sance accordées par Marie à ces premières icônes se transmettent aussi à toutes celles qui furent exécutées par la suite en respectant les traits authentiques de la Vierge peinte par saint Luc. Au contraire, les représentations inspirées par des modèles différents ne pourront jamais avoir de telles vertus du fait qu'elle n'ont rien de commun avec la vraie Mère de Dieu. Voilà pourquoi presque toutes les icônes de Marie s'inspirent des prototypes de saint Luc, même s'il y a quelques variantes, qui ne portent pas sur les traits fondamentaux » [2].

Examinons en détail chacun de ces types, en nous servant aussi des icônes reproduites dans l'encart en couleurs.

Vierge Hodighitria (fig. 6)

Hodighitria signifie « celle qui montre la voie » (en grec « voie » = *hodos*), celle qui montre Celui qui est la voie.

En effet la Vierge porte son Fils sur son bras gauche, tandis que sa main droite est soulevée pour le désigner. L'ensemble donne une impression de majesté souveraine, accrue par la position de face des deux personnages. La Mère ne regarde pas Jésus, mais le fidèle priant devant l'icône. L'enfant n'est pas une faible créature ; il a l'aspect d'un jeune homme présenté aux hommes par sa Mère comme le Seigneur du monde, le Pantocrator. Il se tient droit, bénit de la main droite et tient de l'autre le rouleau des Ecritures.

---

2. E. DALMASSO, *Le icone della Madonna*, dans *Icone russe*, Roma, 1978 (hors commerce, c'est le catalogue d'une exposition d'icônes).

Le schéma classique de l'*Hodighitria* byzantine a subi quelques modifications au cours des siècles et l'on trouve des icônes où le Divin Enfant figure de côté, tourné vers sa mère, et non de face. La Madone, dont le visage reste éloigné de son Fils avec une expression de détachement et fixe son regard au-dessus de lui, incline un peu la tête comme pour intercéder et le prier. Ce schéma modifié se voit, par exemple, dans la vierge de Tichvin, fêtée par l'Eglise orthodoxe russe le 26 juin, tandis que le type classique de l'*Hodighitria* byzantine est conservé dans la Vierge de Smolensk (fêtée de 28 juillet), dont de très beaux exemplaires peuvent être admirés dans cette ville russe et dans l'église principale du Nouveau Monastère des Vierges (Novij Devicij) de Moscou, actuellement musée.

La reproduction de l'encart est celle de l'icône de la Vierge *Hodighitria Iverskaja*, copie de la célèbre icône du monastère homonyme situé sur le Mont Athos, très vénérée à Moscou. La peinture et la *rjsa* en argent qui la recouvre ne laissant à découvert que les visages et les mains ont été exécutées en Russie au début du siècle.

Vierge « Eléousa » ou de la tendresse

Dans ce type de Vierge les visages de la Mère et du Fils se rejoignent avec une douce expression d'intimité. Ces icônes sont très fréquentes en Russie et portent le nom de la ville à laquelle est liée l'histoire de l'image sacrée.

C'est le cas des deux icônes de la tendresse reproduites dans cet ouvrage : celle de Vladimir et celle de Jaroslav.

Quelques-unes des icônes grecques de ce groupe portent l'inscription *Glykofilussa*, traduite parfois par « doux embrassement » car l'expression de tendresse entre Mère et Fils est encore plus marquée.

Nous donnons seulement un détail de l'icône de la *Mère de Dieu de Vladimir* (fig. 14), car il s'agit d'un tableau de 110 x 70 cm, où l'enfant est peint en entier, avec son petit pied gauche typiquement renversé en arrière. Transportée en 1136 de Constantinople à Vysgorod (près de Kiev, capitale de l'antique Russie), elle fut apportée en 1155 à Vladimir, dont le nom lui est resté. C'est peut-être la plus belle et la plus chérie des Russes dont elle a partagé toute l'histoire. A Moscou depuis 1395, d'abord dans la cathédrale de l'Assomption au Kremlin, puis exposée en 1930 dans un musée (actuellement à la Galerie Tretiakov), elle fut restaurée plusieurs fois ; mais la peinture des visages et des mains est la plus ancienne. On l'admire maintenant sans la précieuse *rjsa* métallique qui la recouvrait en grande partie et qui, en tant que chef-d'œuvre d'orfèvrerie, est conservée au Palais des Armures au Kremlin. Sa beauté provient d'une profonde spiritualité : inoubliable est le regard rempli de majesté céleste de la Mère, et le Fils, même sous l'aspect d'un enfant, est vraiment le Verbe.

« Marie tient de sa main gauche l'Enfant embrassé, au geste impétueux et qui fixe sur elle ses yeux grands ouverts, ayant fermé les lèvres subtiles de sa petite bouche. Marie regarde droit devant elle avec des yeux grands ouverts en amande qui semblent illuminer son visage allongé. »

Cette description est écrite par une Soviétique, expert en art [3]. La Vierge regarde vers nous. Elle est un peu triste, pensant peut-être à la future passion de son Fils pour nous racheter. Le verso de cette icône est peint et représente un autel surmonté d'une croix et de quelques instruments de la passion : lance, roseau et son éponge.

La madone de Vladimir est vénérée à divers titres trois fois par an : les 21 mai, 23 juin et 26 août.

Vierge de tendresse de Jaroslav (fig. 8)

Elle reproduit le dessin et les couleurs d'une icône du xve siècle, conservée maintenant à la Galerie Tretiakov de Moscou. Le *maforion,* d'une teinte cerise foncé, forme un demi-ovale symétrique et recouvre l'Enfant en partie. Les gestes de celui-ci sont différents de ceux de la Mère de Dieu de Vladimir : de la main droite il caresse le visage maternel et tient de la gauche le bord du manteau sombre. Il faut noter la ligne verticale qui unit les deux mains de la Mère de Dieu : sa main droite retient l'Enfant, mais rappelle en même temps le geste de la *Déesis* (inter-

---

3. V.I. ANTONOVA, *Catalogue de l'ancienne peinture russe* (en russe), Moscou, 1963, vol. I, p. 58-63.

cession), implorant miséricorde. Le visage du petit Jésus a une expression plus sérieuse que celle habituelle à un jeune enfant ; et l'on voit une tension spirituelle dans le regard profond de la Mère : non seulement elle caresse son Fils, mais aussi elle l'adore.

Vierge du Signe (fig. 7)

L'Orante, c'est-à-dire une figure féminine dans l'attitude de la prière avec les bras levés, se trouve avant même l'icône du Christ. Mais elle se répandit surtout pendant les premiers temps du christianisme, comme en témoignent les fresques des catacombes ou, dans le monde byzantin, la célèbre Vierge de l'église des Blachernes à Constantinople.

La Vierge du Signe, en pied ou en buste, porte le Christ peint sur sa poitrine, soit dans un cercle, soit dans un ovale (la « mandorle » ou amande), symbolisant la gloire divine, la lumière, le ciel. Une prophétie d'Isaïe, 7,14 (« *Le Seigneur vous donnera un signe : une Vierge concevra* ») est à la base de la dénomination de ce genre d'icône. On l'appelle parfois chez les Grecs : *Platytera*, c'est-à-dire « Plus vaste (que les cieux) » puisqu'elle a contenu dans son sein Celui que les cieux ne peuvent contenir.

La Vierge du Signe reproduite fig. 7, peinte au siècle dernier avec beaucoup d'or sur la robe et sur le *maforion* de la Vierge, devait être une icône familiale parce que, sur les côtés, ont été peints quatre saints. Ceux-ci étaient souvent choisis d'après les noms des membres de la famille. Il s'agissait peut-être d'une famille de médecins car, aux côtés de Pierre, un moine-martyr, on voit les saints Côme, Damien et Panteleimon *anargiri,* c'est-à-dire qui soignaient les malades sans se faire payer.

Autres types de Vierges

Bien que moins fréquentes, il existe des icônes qui représentent la *Mère de Dieu, assise sur un trône royal,* tenant l'Enfant-Dieu sur ses genoux ; ou bien la *Vierge, seule, en attitude de supplication* adressée au Christ, comme cela se voit dans la *Déesis* (Intercession, fig. 1) ; en encore la *Mère de Dieu allaitant son Fils.*

Il faut remarquer que Notre-Dame appelée en Occident « du Perpétuel Secours », est dite en Orient *Notre-Dame de la Passion* parce que deux anges, de chaque côté de la tête de Marie, tendent l'un, la croix, et l'autre la lance et le roseau terminé par une éponge. L'Enfant regarde la croix avec épouvante et serre de ses deux petites mains la main droite de sa Mère, pendant qu'une sandale tombe de son petit pied en restant suspendue par le lacet.

La *Vierge de Kazan* (fig. 4) est très vénérée en Russie, en particulier les 8 juillet et 22 octobre. Elle se rapproche du type de l'*Hodighitria,* mais représente seulement les bustes de la Mère et du Fils. Elle tire son nom de la ville de Kazan, capitale d'un *Khanat* tartare conquis par les Russes. Cette icône, vénérée dans la cathédrale et considérée comme perdue dans l'incendie de ce Kremlin, fut retrouvée miraculeusement par une fillette en 1579. L'icône fut d'abord vénérée à Kazan, puis à Moscou, ensuite à Petersbourg. La copie reproduite fig. 4 montre un bel exemple de *rjsa* en métal doré du XIXe siècle, avec des nimbes filigranés.

Nous donnerons en conclusion la traduction de trois prières. Les deux premières sont récitées habituellement pendant les fêtes d'icônes mariales sans office propre. La dernière est le tropaire principal de la fête de la Mère de Dieu de Vladimir.

« Accourons auprès de la Mère de Dieu avec ferveur, pécheurs et humbles que nous sommes, et tombons à genoux avec repentance, disant du fond de l'âme : O notre Dame, aide-nous en prenant pitié, hâte-toi car nous périssons, accablés par le grand nombre de nos péchés : ne nous renvoie pas car nous n'avons que toi et tu es notre espoir ».

« Nous ne tairons jamais, ô Mère de Dieu, les bienfaits que tu accordes à notre indignité quand nous te prions ; si tu n'étais pas intervenue, qui nous aurait délivrés de tels malheurs ? qui nous aurait conservés libres jusqu'à maintenant ? Nous ne te quitterons pas, ô notre Dame, car c'est toi qui toujours sauves tes serviteurs de toute ruine. »

« Aujourd'hui, lumineuse et belle, la glorieuse ville de Moscou accueille comme l'aurore du soleil ta miraculeuse icône, ô Souveraine. Vers elle nous aussi accourons et suppliants, t'invoquons : ô merveilleuse Reine, Mère de Dieu, prie le Christ notre Dieu, qui de toi s'est incarné, de conserver cette ville et toutes les villes et contrées chrétiennes libres des assauts ennemis et de sauver nos âmes, dans sa Miséricorde. »

12

Icônes de saints

L'Eglise Catholique et l'Eglise Orthodoxe ont en commun la vénération des saints. On trouve donc des images sacrées qui les représentent aussi bien en Occident qu'en Orient.

Même en nous limitant à la tradition byzantine, les icônes de saints sont assez nombreuses, en particulier celles de quelques saints mieux connus et plus chers au cœur des fidèles. Ce sont saint Jean-Baptiste [1], saint Nicolas de Myre [2], saint Georges, saint Dimitri, saint Pierre et saint Paul, le prophète Elie, les trois grands évêques Basile, Jean Chrysostome, Grégoire de Nazianze [3], et d'autres.

---

1. Outre la fête de sa naissance, le 24 juin, en correspondance avec la fête latine, saint Jean-Baptiste est vénéré dans l'Orient byzantin le 17 janvier, lendemain de la fête du Baptême de Jésus où il eut une part primordiale. On fête aussi les trois découvertes du chef vénérable du précurseur. Son icône le représente parfois avec des ailes d'ange pour indiquer qu'il était « plus qu'un homme ». Les ailes se justifient aussi par le texte évangélique, Marc, I, 2, où il est appelé « *messager* » (dans l'original grec = ange). Le mardi lui est dédié.

2. C'est le saint appelé habituellement « de Bari », où ses reliques furent transportées. Dans le rite byzantin le jeudi est dédié aux saints Apôtres et à saint Nicolas.

3. Ils sont vénérés ensemble le 30 janvier, jour de la

Ces icônes sont en majeure partie portatives et représentent le buste du saint, mais
sur certaines ils sont peints en pied, en particulier sur les icônes de plus grand format
placées sur l'iconostase. En ce cas les saints
sont le plus souvent tournés vers le Christ de
la *Déesis* centrale, donc un peu de profil, alors
que d'habitude leur visage fait totalement
face au fidèle qui les regarde.

Icône de saint Serge de Radonège

Examinons maintenant une icône de ce type
(fig. 9). Elle représente saint Serge de Radonège, le saint national russe, aimé par les
Russes comme l'est saint François d'Assise
par les Italiens. Il vécut au XIVe siècle (il mourut à 78 ans, en 1392), d'abord à Rostov, puis
à Radonège, dans la principauté de Moscou.
Après la mort de ses parents, âgé de 20 ans et
désireux de vivre une vie d'ermite, il se retira
dans une forêt située à une soixantaine de
kilomètres de Moscou. Il y vécut d'abord avec
un frère, puis resta seul. Il dédia à la Très
Sainte Trinité, fait significatif et inhabituel,
la pauvre chapelle de bois qu'il avait cons-
truite et où un prêtre venait de temps en
temps célébrer la messe. Plus tard, des disciples s'unirent à lui, et ainsi naquit le grand
monastère de la Très-Sainte-Trinité-et-Saint-
Serge, qui existe encore et continue à être le

fête dite des « Trois Hiérarques ». L'icône représente donc
saint Basile, saint Jean Chrysostome et saint Grégoire
de Nazianze, l'un à côté de l'autre.

but de continuels pèlerinages [4]. Une soixantaine d'autres monastères proviennent de lui.

Il existe des biographies de saint Serge, même en français [5]. Nous nous contenterons donc d'examiner l'icône de la fig. 9.

De 20 x 26 cm, elle fut peinte en Russie sur un fond d'or, sur lequel on traça le nimbe. Le nom ressort en caractères cyrilliques rouges, avec des abréviations. En voici la traduction littérale complète : « Saint très ressemblant (sous-entendu : à Dieu), Serge de Radonège, qui opéra des miracles. » Le qualificatif, « très ressemblant », est réservé aux saints moines. Pour les martyrs, les évêques, etc., on emploie d'autres termes.

Cette icône n'est pas un portrait. Elle nous montre un personnage transfiguré par la divinisation. Cependant le grand voile sur lequel le portrait du saint a été brodé par des personnes qui l'avaient personnellement connu, et qui se trouve actuellement dans le musée de Zagorsk [6], ressemble beaucoup à cette icône : le front haut et vaste nous rappelle son incessante contemplation de la Sainte Trinité ; les yeux profonds, immobiles, regardent les réalités célestes, mais aussi ceux qui prient devant eux ; les oreilles

---

4. On le nomme plus exactement *Laure*, qualificatif donné à quatre grands monastères russes. Il abrite aussi actuellement un des trois séminaires russes et une des deux académies ecclésiastiques autorisés pour cet immense pays.

5. P. KOVALESKY, *Saint Serge et la spiritualité russe*, dans coll. « Maîtres spirituels », Editions du Seuil, 1969.

6. C'est le nouveau nom donné au village qui s'appelait aussi autrefois « de saint Serge ».

allongées écoutent le silence et la Parole de l'Ecriture Sainte ; les lèvres, fines et closes, n'ont rien de sensuel ; la barbe et les cheveux encadrent le visage et en font ressortir l'impassibilité ultraterrestre.

Les couleurs du manteau et du scapulaire à capuche sont sombres, opaques comme il convient à un moine. Sur le grand *schema* (que nous appelons improprement « scapulaire », puisqu'il est accordé seulement aux moines orientaux âgés, surtout voués à la prière et à l'ascèse), ressort une croix russe portant quelques lettres grecques signifiant « Jésus-Christ (est) victoire ». La croix russe est caractérisée par un élargissement de l'écriteau supérieur et par l'inclinaison de la barre inférieure, bien visible ; elle est non seulement support pour les pieds, mais aussi « balance de justice » comme le spécifient les textes liturgiques [7].

Les mains sont très expressives : la droite dessine un geste de bénédiction selon l'usage byzantin, avec le pouce rapproché de l'annulaire, l'index et le majeur dressés. La main gauche, refermée et abaissée, tient un rouleau qui représente soit les Ecritures, soit la Règle monastique.

Peint de face selon l'usage, le saint nous devient plus proche. Il semble se détacher du fond pour venir à notre rencontre afin de

---

7. Voir, par exemple, la prière quotidienne des Nones de Carême. La « balance » soulève le bon larron et laisse tomber celui qui meurt sans repentance. Elle élève la nouvelle Jérusalem et abaisse l'ancienne Jérusalem avec le voile déchiré du Temple.

nous interroger sur les vérités dernières et pour nous promettre le soutien de son intercession auprès de Dieu. Les détails anatomiques sont rares, mais on perçoit l'action de la grâce divine sur tout le corps humain du saint ; et tout, même ses rides, son vêtement, tout concourt à établir une harmonie parfaite, celle du monde à venir.

Autres icônes de saints

On trouve des icônes comportant un seul saint ou plusieurs saints réunis, mais il existe aussi des icônes que l'on pourrait appeler « mensuelles ». En effet elles offrent dans de petits tableaux successifs tout l'ensemble des saints et des fêtes commémorés d'un mois déterminé à l'autre. La tradition conseille de placer l'icône du saint du jour au centre de l'église, sur un lutrin afin que le fidèle puisse s'en approcher facilement pour la baiser et la vénérer. On voit souvent à côté un plateau sur lequel il est possible d'allumer des cierges en son honneur. C'est pourquoi, afin de ne pas avoir à changer d'icône chaque jour, on a exécuté des icônes qui groupent une succession de plusieurs saints selon les données du calendrier liturgique.

Il y a aussi des icônes qui reproduisent des miracles opérés par des saints (ainsi saint Georges tuant le dragon), ou les moments de leur martyre, bien qu'assez rarement (par exemple sainte Catherine d'Alexandrie subissant le supplice de la roue). Parfois, outre la figure centrale du saint, on voit sur les bords des *kleimi* (petits panneaux) sur lesquels sont peints des événements de sa vie et quelques-uns de ses miracles.

Mais toujours, même sous diverses formes, les images des saints nous rappellent qu'ils sont devenus de véritables « icônes » de Dieu et que « l'homme a reçu l'ordre de devenir semblable à Dieu selon la grâce» [8].

Icônes d'anges

Elles ressemblent à celles des saints, bien que les ailes et d'autres détails indiquent qu'il s'agit des anges, médiateurs et messagers célestes. Parmi eux, le plus représenté est saint Michel, « chef des milices célestes ».

Voici quelques prières :
Prière à saint Serge : c'est le tropaire principal de sa fête du 25 septembre.

> « Héros de vertus, en vrai soldat du Christ tu as lutté en cette vie terrestre, donnant à tes disciples l'exemple de veilles, de prières et de jeûnes : devenu ainsi la demeure du Saint-Esprit qui t'a admirablement orné de sa grâce, maintenant que tu as osé t'approcher de la Trinité, souviens-toi du troupeau que dans ta sagesse tu as réuni autour de toi, et n'oublie pas comme tu l'as promis de visiter tes enfants, ô glorieux Serge, notre Père. »

Prière à tous les saints, récitée tous les samedis :

> « Apôtres, martyrs, prophètes, pontifes, ascètes, justes, et vous saintes femmes, vous tous qui

---

8. S. GRÉGOIRE DE NAZIANZE, P. G 36, 560 A.

avez combattu le bon combat et gardé la foi, de par ce crédit dont vous jouissez auprès du Seigneur, demandez-lui pour nous, nous vous en supplions, de sauver nos âmes, dans sa bonté. »

Pour la Fête de tous les saints, célébrée le dimanche suivant la Pentecôte afin de souligner que toute sainteté est surtout l'œuvre de l'Esprit divin, on récite la prière suivante, dite aussi quelquefois à Complies :

« En tout l'univers tes Martyrs ont orné l'Eglise de leur sang : revêtue de pourpre et de lin fin, par leur bouche elle te chante, ô Christ notre Dieu. A ce peuple qui est tien manifeste ta compassion, donne la paix à tous nos gouvernants et à nos âmes la grâce du salut. »

Chaque lundi dans l'Orient byzantin est dédié *aux anges,* invoqués de cette manière :

« Grands chefs des milices célestes, nous vous supplions, indignes que nous sommes, de nous protéger par vos prières et de nous garder à l'ombre des ailes de votre immatérielle gloire, nous qui, à genoux et instamment, vous implorons. Délivrez-nous des dangers, ô Princes des puissances d'en haut. »

13

Icônes des grandes fêtes

L'année liturgique byzantine commence le premier septembre. La Pâque, la « Fête des Fêtes », en est le centre et le point culminant. Elle possède également « Douze grandes fêtes », dont trois sont mobiles : Dimanche des Rameaux, Ascension et Pentecôte. Les autres, à date fixe, sont : le 8 septembre, Naissance de la Mère de Dieu ; le 14 septembre, Exaltation de la Sainte Croix ; le 21 novembre, Présentation de Marie au Temple ; le 25 décembre, Nativité de N.S. Jésus-Christ ; le 6 janvier, Théophanie ou Baptême de Jésus ; le 2 février, Rencontre (= Présentation) de Jésus au Temple ; le 25 mars, Annonciation ; le 6 août, Transfiguration de N.S. Jésus-Christ ; le 15 août, Dormition (= Assomption) de Marie, la Très Sainte Mère de Dieu.

Chaque fête comporte une reproduction iconographique spéciale car l'annonce du mystère célébré et actualisé n'est pas uniquement donnée par les textes liturgiques propres, mais aussi par l'icône. Celle-ci est apportée solennellement par le prêtre et déposée au centre de l'église la veille de la fête, pendant l'office de la vigile ; elle reste exposée sur un haut support incliné pour la contemplation et la vénération des fidèles jusqu'à la fin de l'après-fête (de 1 à 10 jours).

Il nous est impossible de les examiner toutes, nous nous arrêterons donc sur les icônes de la Résurrection, de Noël et de la Dormition de la Vierge Marie.

Icône de la Résurrection du Christ

Dans l'office du matin du Samedi Saint on trouve le verset suivant : « Toi, Seigneur, descendu sur terre pour sauver Adam et ne l'y trouvant pas, tu es allé jusque dans les enfers. »

La composition iconographique de la résurrection nous montre, en effet, la descente du Christ aux enfers. Parfois, mais rarement, la Résurrection est aussi représentée par les « Femmes contemplant le sépulcre vide ». Silence, par contre, dans les Ecritures, comme sur l'icône, sur le moment où le Christ est ressuscité. La figuration d'un Christ vêtu de blanc, surgissant du tombeau, est tardive et due à des influences occidentales.

L'icône que nous allons examiner (fig. 13) est fidèle au modèle fixé depuis des siècles. Le Sauveur se trouve au centre, dans un cercle (symbole de la divinité). La couleur sombre du centre s'éclaircit vers l'extérieur grâce à des rayons de couleur claire. La blancheur de la robe du Christ et de son manteau, flottant pour souligner le mouvement de sa descente, rappelle la couleur notée par les évangélistes dans le récit de la Transfiguration. C'est un revêtement de lumière, attribut du corps glorifié et symbole de la gloire divine. De la main gauche, Jésus tient une croix, signe de sa victoire, tandis que de la main droite il arrache aux enfers Adam, symbole de toute l'humanité. Derrière notre premier père on distingue les rois David et Salomon, saint Jean Baptiste et le prophète Daniel. Du côté opposé, Eve attend sa libération ; elle a les mains respectueusement recouvertes par son vêtement. Derrière elle on aperçoit d'autres justes du Premier Testament.

Cette icône est une icône russe. Voilà pourquoi, en plus des lettres grecques habituelles inscrites dans le nimbe, près de la tête du Christ, on trouve dans le haut, en caractères cyrilliques rouges, avec abréviations, le nom de l'icône : Résurrection de N.S. Jésus-Christ.

En Occident on représente peu la descente aux enfers, pourtant rappelée dans le Credo ; au contraire dans la tradition liturgique et iconographique de l'Orient elle occupe une place importante. C'est le point final de cette descente que saint Paul (Eph 4,8-10) met en parallèle avec « *l'ascension au-dessus des cieux* » pour conduire « *une foule de prisonniers* ». Le Vendredi Saint, observe un orthodoxe :

« pour la terre, c'est le jour de la douleur, l'office de l'enterrement et les pleurs de la *Théotokos*, mais aux enfers, le Vendredi Saint, c'est déjà Pâques, sa puissance dissipe les ténèbres au cœur du Royaume de la mort »[1].

Dans l'icône que nous examinons, on voit en bas une tache noire sur laquelle se remarquent des clous, des clefs, des verrous et deux battants de porte sortis de leurs gonds. Ce sont les signes de la Victoire du Christ qui a brisé le royaume de l'Hadès et en piétine les débris.

En haut, des roches nues rappellent l'aridité de notre terre qui se laisse cependant pénétrer par la puissance de la lumière de la résurrection. Le fond de l'icône est en or pour symboliser la lumière, la gloire divine. Toute cette composition est harmonieuse, tant par le dessin que par les couleurs, elle s'imprimera dans le cœur des fidèles qui, durant 40 jours, de Pâques à l'Ascension, la verront exposée au centre de l'église et pourront la vénérer.

Trois prières

Celle qui est récitée le plus souvent est le tropaire pascal :

« Le Christ est ressuscité des morts. Par la mort il a vaincu la mort. A ceux qui sont dans les tombeaux il a donné la vie. »

Tirée du très beau Canon de Pâques, composé par saint Jean Damascène (+ 749), voici une hymne brève :

---

1. P. EVDOKIMOV, *L'art de l'icône. Théologie de la Beauté*, p. 271, Desclée de Brouwer, 1972.

« Hier, avec toi, ô Christ, j'étais enseveli, avec
toi je me réveille aujourd'hui, prenant part à
ta résurrection ; après les souffrances de ta crucifixion accorde-moi de partager, Sauveur, la gloire du royaume des cieux. »

Enfin le *Kontakion* de la fête :

« Bien que descendu au tombeau, ô Immortel,
tu as détruit la puissance de l'enfer ; et tu es
ressuscité victorieux, Christ Dieu, disant aux
myrrhophores : Réjouissez-vous ! Aux Apôtres tu
as donné la paix, toi qui nous sauves en nous
accordant la résurrection. »

Icône de Noël

Placée en haut, l'inscription abrégée, en
slavon, signifie : « Nativité de Notre Seigneur
Jésus-Christ ». Il faut rappeler que, dans
l'Orient byzantin, la fête du 25 décembre
comporte tout l'ensemble du mystère de la
venue au monde du Fils de Dieu, l'adoration
des Mages incluse [10]. Observons la fig. 10.

Au centre, dans une grotte noire, se trouve
le nouveau-né : « *La lumière resplendit dans
les ténèbres.* » La grotte noire est le symbole
du mal, et les langes du Bébé rappellent le
linceul d'où surgira le Ressuscité. Les textes
liturgiques utilisent le même mot pour désigner les uns et l'autre. En haut, un rayon de
lumière, unique comme Dieu, sort de l'étoile
et devient triple, évidente allusion à la Trinité. Il descend sur la Mère et sur le Fils,

---

2. Les orthodoxes célèbrent le 6 janvier le Baptême de
Jésus-Christ, ou plutôt la Théophanie, manifestation du
Dieu Trine, survenue pendant le baptême dans le Jourdain.

clairement désignés par les lettres de l'abréviation grecque : (*Miter Theou* = Mère de Dieu), près de la tête de l'une et (*Iissus Christos* = Jésus-Christ) près de celle de l'autre. La crèche ressemble à un autel où sont invités à venir se nourrir les Juifs, représentés par le bœuf, et les gentils, représentés par l'âne, d'après une interprétation des anciens Pères.

En haut, à gauche, deux anges sont en adoration tandis qu'un autre, sur la droite, fait l'annonce aux bergers. Les Rois Mages, à cheval, se dirigent vers le Sauveur, guidés par l'étoile. Au-dessous d'eux, pensif, on voit Joseph ; il est représenté dans un moment de tentation, car le diable se tient en face de lui, vêtu en berger, et il lui insinue des doutes sur la virginité de Marie. Plus bas, la scène du bain indique que Jésus a vraiment assumé la nature humaine et fait en même temps allusion au baptême, car la vasque a la forme des fonts baptismaux.

Personnage central de cette icône composite, la Mère de Dieu est étendue sur une étoffe de poupre, puisqu'elle a mis le Fils au monde ; elle est tournée vers nous (sur de très rares icônes, elle regarde Jésus), et semble « méditer en son cœur » tout le mystère du salut où elle, fleur de l'humanité, nous représentait tous et devint notre mère à tous, au moment de son consentement à l'incarnation. Bien visibles sur les épaules et sur la tête, les trois étoiles rappellent qu'elle resta vierge avant, pendant et après l'enfantement. Sur le fond, le ciel n'est pas bleu, mais doré comme la lumière divine. En Orient, Noël est aussi appelé « fête des lumières ».

Cette composition de l'icône remonte à la plus haute antiquité. Les ampoules de Monza, du IV-Vᵉ siècle, provenant de Terre Sainte, comportaient déjà une telle figuration.

Voici trois prières tirées de la liturgie de la fête :

Tropaire principal :

« Ta nativité, Christ notre Dieu, a fait lever sur le monde la lumière de la connaissance. En elle, en effet, ceux qui adoraient les astres apprirent de l'étoile à vénérer en toi le Soleil de justice et à reconnaître en toi l'Orient d'en haut. Seigneur, gloire à toi ! »

Kontakion (de Romanos le Mélode, Vᵉ s.) :

« La Vierge en ce jour met au monde l'Eternel, et la terre offre une grotte à l'inaccessible. Les anges et les pasteurs le louent, et les Mages avec l'étoile s'avancent, car tu es pour nous, petit enfant, Dieu éternel. »

Une autre hymne :

« Qu'allons-nous t'offrir, ô Christ, parce que pour nous tu t'es fait voir comme un homme ? Chacune des créatures sorties de toi t'apporte en effet son témoignage de gratitude : les anges, leur chant ; les cieux, l'étoile ; les mages, leurs dons ; les pasteurs, leur admiration ; la terre, la grotte ; le désert, la crèche. Mais nous, une Mère Vierge ! O Dieu d'avant les siècles, aie pitié de nous. »

Icône de la Dormition de la Mère de Dieu

La fête mariale du 15 août est très importante ; précédée par un jeûne de quatorze jours, elle se prolonge jusqu'au 23 août. Appelée en Occident « Assomption de la Vierge Marie », l'Orient la nomme, aussi bien en grec qu'en slavon, « Dormition de la Mère de Dieu ». Il s'arrête donc sur les derniers moments terrestres de la Vierge pendant lesquels, selon la tradition, les Apôtres se rassemblèrent autour d'elle et le Christ vint chercher son âme.

C'est ce que nous enseigne l'icône (fig. 11). La Vierge est étendue sur une couchette, revêtue d'un vêtement bleu, symbole de l'humanité, d'un *maforion* rouge-cerise foncé, les mains croisées sur la poitrine. Dans le groupe des Apôtres qui l'entourent, grâce aux caractéristiques [1] iconographiques, on reconnaît, à gauche, Pierre qui l'encense, et Paul, le premier à droite, les mains levées, comme pour la montrer. La tristesse des disciples est partagée par quelques femmes visibles devant des architectures comme toujours plutôt étranges et extraordinaires, mais qui représentent l'Eglise.

Au centre de l'icône domine le Christ, dont la ligne verticale se prolongeant dans le cierge

---

3. Dans le manuel pour Iconographes DENIS DE FURNA, p. 200, donne la description de chaque apôtre. Il écrit notamment : « Pierre, vieillard à la barbe ronde. » — « Paul, chauve, avec une barbe en forme de jonc et à demi blanche. »

allumé devant la couche, signe du mystère, forme une croix avec la Vierge elle-même. Le Christ se détache sur une mandorle claire, confirmation de sa divinité, entourée par des séraphins aux multiples ailes. Il tient entre ses mains l'âme de sa mère, toujours figurée par un bébé dans les langes. En haut, deux anges, aux mains couvertes par respect, adorent et semblent prêts à transporter la Vierge au ciel. En effet, elle est peinte un peu plus haut avec son âme et son corps, dans la gloire de la nouvelle vie, transfigurée pour l'éternité, et entourée par d'autres anges. L'inscription, en slavon, confirme l'icône : Dormition de la T.S. Mère de Dieu.

Prières

Extraits de l'Office du 15 août, nous donnons le tropaire principal, le *Kontakion* (œuvre de Cosma, VIIe siècle) et une autre hymne :

« Dans ta maternité, tu as conservé la virginité. Lors de ta dormition, tu n'as pas abandonné le monde, ô Mère de Dieu. Tu es passée à la vie, toi qui es la Mère de la vie, et par tes prières tu délivres nos âmes de la mort. »

« Le sépulcre et la mort ne purent retenir la Mère de Dieu toujours vigilante dans ses intercessions, notre espérance inébranlable : car, Mère de la vie, Il l'a transférée à la vie, Celui qui habita son sein toujours vierge. »

« Venez, toutes les extrémités de la terre, béatifions la vénérable assomption de la Mère de Dieu ; elle a remis son âme sans tache dans les mains de son fils. C'est pourquoi le monde est vivifié par sa sainte Dormition qu'il fête avec éclat dans des psaumes, des hymnes et des odes spirituelles, avec les incorporels et les apôtres. »

14

Icône de la Sainte Trinité

Nous pouvons la compter au nombre des icônes de fêtes parce que, surtout dans les pays slaves, elle est exposée habituellement au milieu de l'église pour la solennité de la Pentecôte, nommée aussi Jour de la Très Sainte Trinité, tandis que la commémoration de la descente du Saint-Esprit sur les Apôtres est plutôt célébrée le lundi suivant.

Le récit donné par la Sainte Ecriture (Gen 18,15) de la visite des trois Anges à Abraham a toujours été interprété en Orient comme une annonce anticipée du mystère de Dieu en trois personnes ; (le texte sacré alterne le pluriel et le singulier, comme s'il y avait eu un seul visiteur). Mais, tandis que dans les peintures et les mosaïques qui l'ont précédée (on en voit une aussi à Saint-Vital, à Ravenne, vi^e siècle), on représentait la scène complète — outre Abraham et les trois Anges, il y avait aussi Sara et le veau — le moine russe Roublev, habitué à la contemplation des choses célestes, nous a donné, dans le premier quart du xve siècle, une icône (fig. 15) remplie de symboles, où apparaît au centre la coupe eucharistique, à la place du veau, et où les Trois sont réunis en un divin conseil.

L'Ange de droite représente l'Esprit Saint, mais on hésite sur celui du centre. Est-ce la figure du Père, ou celle du Fils ? Le but de l'iconographe n'était pas d'amener le fidèle à se tourner vers l'une ou l'autre des personnes de la Trinité, mais de le conduire, en s'appuyant sur une image biblique, à la contemplation de l'essence du mystère d'un Dieu Trine.

Il a été affirmé qu'il « n'existe pas ailleurs une semblable puissance de synthèse théologique, une telle richesse du symbolisme et autant de beauté artistique »[1]. Les couleurs mêmes ont une luminosité, une transparence inhabituelles, et l'ensemble donne une impression de paix profonde, notamment par le mouvement circulaire où s'inscrit la scène. Notre reproduction supprime une partie des côtés, alors que l'original a des dimensions proches de celles d'un carré (114 x 142 cm). Cette icône fut commandée par l'higoumène saint Nikon, successeur de saint Serge de Radonège, pour la Laure (= grand monastère) homonyme, situé à 60 km de Moscou (Zagorsk). Elle était placée près de la tombe de saint Serge dont on connaissait bien la dévotion toute spéciale pour la Sainte Trinité. Actuellement l'original, débarrassé de la *rjsa* métallique qui le recouvrait, et bien restauré, se trouve à la Galerie Tretiakov de Moscou, et

---

1. P. EVDOKIMOV, *L'Art de l'icône. Théologie de la Beauté,* Desclée de Brouwer, 1972.

l'on en a placé une bonne reproduction dans l'église de la Sainte-Trinité, auprès de la tombe du saint national russe.

Les corps des trois Anges sont très allongés (le rapport entre tête et corps est beaucoup plus grand que de coutume). Légers et élancés, ils se présentent de trois-quarts, ce qui diminue la largeur des épaules, et l'on peut tracer facilement la circonférence d'un cercle en suivant les lignes extérieures des anges de droite et de gauche, et en passant au-dessus des pieds de l'ange central. On peut aussi inscrire un triangle et une croix dans ce tableau plein d'harmonie. Les trois figures sont distinctes, mais pourtant leur ressemblance est évidente, ainsi que l'unité profonde qu'elles constituent.

Dans le fond, la tente d'Abraham est devenue un palais-temple, le chêne de Mambré, l'arbre de vie. Pour le cosmos, la roche de droite constitue la seule allusion.

La perspective inverse rapproche l'image de celui qui la regarde ; les lignes architectoniques convergent vers lui, provenant, dirait-on, de l'infini.

L'exhortation, si souvent répétée par saint Serge (+ 1392), arrive jusqu'à nous à travers la splendide icône composée et exécutée par son disciple : « Vaincre la déchirante division de ce monde par la contemplation de la Très Sainte Trinité. »

Prières à la Sainte Trinité

« Gloire à la sainte, consubstantielle, vivifiante et indivisible Trinité, en tout temps, maintenant, et toujours, et dans les siècles des siècles. Amen. »

Trisagion, récité très souvent pendant tous les offices :

« Dieu Saint, Saint Fort, Saint Immortel, aie pitié de nous (3 fois). Gloire au Père, et au Fils et au Saint-Esprit ; et maintenant et toujours et aux siècles des siècles. Amen. Toute Sainte Trinité, aie pitié de nous. Seigneur, purifie-nous de nos péchés ; Maître, pardonne nos iniquités ; Saint, visite-nous et guéris nos infirmités à cause de ton Nom. »

Enfin une supplique, très connue, adressée au *Saint-Esprit* :

« Roi du Ciel, Consolateur, Esprit de vérité, toi qui es partout présent et qui emplis tout, trésor de biens et donateur de vie, viens et demeure en nous, purifie-nous de toute souillure et sauve nos âmes. Toi qui es toute bonté ! »

APPENDICE

Bénédiction des icônes

Le rite de la bénédiction des icônes n'est pas très ancien. Il est absent des Eucologes les plus antiques et a des adversaires récents. Au XVIIIᵉ siècle, les moines du mont Athos, défenseurs tenaces des traditions ancestrales, et d'autres auteurs protestèrent contre l'innovation manifestée par l'onction des icônes, car ils la considéraient comme venant d'une influence latine. « Pour eux les icônes sont objets saints, car elles représentent Dieu et les saints, et parce qu'elles sont sans cesse encensées »[1]. L'usage se maintient pourtant et il est chargé de signification. Il existe plusieurs formules pour impartir cette bénédiction. Les textes que nous donnons sont ceux, très connus, de la tradition iconographique byzantine[2].

A. Bénédiction d'une icône de la Sainte Trinité, représentée par trois anges, et des icônes des fêtes de la Théophanie, de la Transfiguration et de la Descente de l'Esprit Saint.

On dépose l'icône à bénir sur une petite table placée devant l'ambon. Après l'avoir encensée, le prêtre adresse une invocation à Dieu. Le lecteur dit

---

1. P. DE MEESTER. *Rituale-Benedizionale Bizantino*, p. 242 et suivantes.
2. D'un livre liturgique slave (souvent ils ne se trouvent pas dans les livres grecs), publié en français par le monastère Saint-Nicolas-de-la-Dalmerie : *Eucologe ou rituel de l'Eglise orthodoxe*, Le Bousquet d'Orb, 1979, p. 178-184.

les prières initiales habituelles et le psaume 66 avec trois alléluias pour finir.

Prêtre : *O Seigneur Dieu, glorifié dans la Sainte Trinité, qu'aucune intelligence ne peut comprendre, qu'aucune parole ne peut raconter, qu'aucun homme n'a vu nulle part, nous croyons seulement ce que nous avons appris par les saintes Ecritures et l'enseignement des Apôtres, et nous te confessons Dieu le Père sans commencement, et ton Fils consubstantiel, et ton Esprit co-régnant et de même essence. Et comme l'Ancien Testament nous raconte ton apparition sous la forme des trois anges au très glorieux Abraham, de même dans le nouveau Testament, apparut le Père dans la voix, le Fils dans le Jourdain selon la chair, et le Saint Esprit sous la forme d'une colombe. Et à nouveau, le Fils selon la chair monta aux cieux et s'assit à la droite de Dieu, et l'Esprit consolateur descendit sur les Apôtres sous la forme de langues de feu. Et au Thabor, le Père dans la voix, l'Esprit dans la nuée et le Fils dans la lumière éblouissante se montrèrent aux trois disciples. Pour cette commémoration continuelle, non seulement nous te confessons avec les lèvres, Toi le seul et glorieux Dieu, mais nous peignons aussi une icône afin que la contemplant, avec les yeux nous te regardions, magnifions et commémorions tes innombrables bienfaits, ô toi le créateur, le rédempteur et notre sanctificateur, car l'honneur de l'icône va sur son prototype. La présentant maintenant devant ta magnificence, nous t'implorons et te prions, envoie avec miséricorde sur nous ta bénédiction, et en ton nom trois fois saint bénis-la et sanctifie-la, afin que, la voyant avec pureté, t'implorant humblement devant elle et te priant avec foi, nous obtenions la miséricorde et la grâce, nous soyons délivrés de tout malheur et de toute affliction, nous obtenions la rémission des péchés et nous soyons jugés dignes du royaume céleste. Par la grâce, la miséricorde et l'amour des hommes du Dieu unique glorifié dans la Trinité, le Père, le Fils et le Saint-Esprit, à qui appar-*

tient la gloire, maintenant et toujours et dans les siècles des siècles.

Chœur : *Amen.*

Prêtre : *Paix à tous.*

Chœur : *Et à ton esprit.*

Diacre : *Inclinez vos têtes devant le Seigneur.*

Chœur : *Devant toi, Seigneur.*

Le Prêtre récite à voix basse cette prière : *Seigneur Dieu, glorifié et adoré dans la Sainte Trinité, écoute maintenant notre prière, et envoie ta bénédiction divine et céleste. Bénis et sanctifie cette icône par l'aspersion de cette eau sainte, pour ta gloire et le salut de tes peuples.*

Ecphonèse : *Car tu es notre sanctification, et nous te rendons gloire, Père, Fils et Saint-Esprit, maintenant et toujours, et dans les siècles des siècles.*

Chœur : *Amen.*

Le prêtre asperge d'eau bénite l'icône en disant : *Cette icône est bénie par la grâce du très Saint Esprit et l'aspersion de cette eau sainte, au nom du Père, et du Fils, et du Saint-Esprit. Amen.* (3 fois.)

Et on lit ou chante ce stichère, ton 8 : *Venez peuples, adorons la Divinité en trois personnes : le Père dans le Fils avec le Saint-Esprit. Car le Père de toute éternité engendre un Fils co-éternel et co-régnant, et le Saint-Esprit est dans le Père, glorifié avec le Fils, unique puissance, unique substance, unique divinité. C'est elle que nous adorons tous en disant : Dieu Saint, qui a tout créé par le Fils avec le concours du Saint-Esprit ; Saint fort, par qui nous avons connu le Père et par qui l'Esprit Saint est venu dans le monde ; Saint immortel, Esprit consolateur, qui procède du Père et reposes dans le Fils ; Trinité Sainte, gloire à Toi* [3].

---

3. C'est une prière récitée également à la Pentecôte et qui commente le *Trisagion* où le Dieu Trine est appelé « Dieu Saint, Saint fort, Saint immortel ».

Si l'icône représente la Théophanie, la Transfiguration et la Descente du Saint-Esprit, on chante le tropaire et le kontakion de la fête, puis le renvoi de la fête.

B. Bénédiction d'une ou plusieurs icônes du Christ et de celles des fêtes du Seigneur.

Cette bénédiction commence comme dans la partie A, mais on lit le psaume 88, et le prêtre dit ensuite : *Seigneur, Dieu Tout-Puissant, Dieu de nos pères, qui dans l'Ancien Testament a commandé de faire pour la tente de réunion des images de Chérubins en bois et en or, ainsi que des broderies, ne repousse pas aujourd'hui les images que nous peignons pour la vénération et l'édification de tes fidèles serviteurs, afin qu'en les contemplant ils te glorifient et soient dignes de recevoir ta grâce et ton royaume. Nous te prions, jette en ce jour ton regard sur cette icônes* (ou *ces icônes) dessinée(s) et peinte(s) en l'honneur de ton Fils bien-aimé et en mémoire de son incarnation salutaire et de tous ses illustres miracles et bienfaits, et bénis-la (les) de ta bénédiction céleste et sanctifie-la (les), ainsi que ceux qui la (les) vénéreront, t'imploreront devant elle(s) et te prieront. Délivre-les de toute affliction et nécessité, et de tout mal de l'âme et du corps ; et rends-les dignes de ta grâce et de ta miséricorde. Car tu es notre sanctification et nous te rendons gloire, avec ton Fils unique et ton très saint Esprit, bon et vivifiant, maintenant et toujours, et dans les siècles des siècles.*

Chœur : *Amen* (Etc. comme en A.)

Le prêtre lit cette prière à voix basse : *Sois attentif, Seigneur mon Dieu, de ta sainte demeure et du trône de la gloire de ton royaume, et envoie avec miséricorde ta sainte bénédiction sur cette icônes (ces icônes), et dans l'aspersion de cette eau sainte, bénis-la (les) et sanctifie-la (les). Donne-lui (leur) la puissance de guérison qui éloigne toute maladie, infirmité et machination diabolique de tous ceux qui accourront vers elle(s). Et devant*

119

celle(s)-ci nous t'implorons, nous te prions et nous recourons à toi : que leur supplication soit toujours entendue favorablement.

Ecphonèse : *Par la grâce et la miséricorde de ton Fils unique avec lequel tu es béni, ainsi que ton très saint Esprit, bon et vivifiant, maintenant et toujours, et dans les siècles des siècles.*

Chœur : *Amen.*

Le prêtre asperge l'icône d'eau bénite en disant la prière ci-dessus : *Cette icône est bénie...* (p. 117).

Après on chante ou on lit le tropaire : *Devant ta sainte icône...* (p. 84).

Enfin le prêtre donne ce renvoi : *Que celui qui avant sa passion a reproduit sur un linge l'image de sa très pure face divine et humaine, le Christ notre vrai Dieu, par les prières de sa très pure Mère et de tous ses Saints, ait pitié de nous et nous sauve, car il est bon et ami des hommes.*

C. Bénédiction d'une ou diverses icônes de la Mère de Dieu.

Elle débute comme en A, mais on lit le psaume 44. Le prêtre dit alors la prière, déjà donnée en B : *Seigneur, Dieu Tout-Puissant...* seule change la partie centrale : *... icône dessinée et peinte en l'honneur et la mémoire de la toute bénie Vierge Marie, la Mère de ton Fils bien-aimé notre Seigneur Jésus-Christ, et bénis-la...* et la finale : *et rends-les dignes de ta grâce et de ta miséricorde par les prières de notre très pure souveraine, la Mère de Dieu et toujours Vierge Marie. Par la miséricorde de celui qui est né d'elle, ton Fils unique notre Dieu et Sauveur Jésus-Christ, à qui appartiennent toute gloire, honneur et adoration, ainsi qu'à toi et à ton très saint Esprit, bon et vivifiant, maintenant et toujours et dans les siècles des siècles.*

Chœur : *Amen.* (Etc. comme en A.)

Prêtre : *Seigneur Dieu Père tout puissant, qui a daigné choisir parmi tout le genre humain une pure et immaculée brebis, la toujours Vierge Marie, pour*

*être la mère de ton Fils unique et l'a sanctifiée par
la descente du Saint-Esprit dans sa demeure, tu
l'as faite plus vénérable que les Chérubins et les
Séraphins, et plus glorieuse que toute créature, afin
qu'elle intercède pour le genre humain. Bénis et
sanctifie par ta grâce dans l'aspersion de cette eau
sainte cette icône peinte en son honneur et en sa
mémoire, et à la gloire de celui qui est né d'elle, ton
Fils unique et consubstantiel, et de toi son Père
sans commencement, et de ton très saint Esprit,
bon et vivifiant ; et fais-en pour tous ceux qui avec
foi te prieront devant elle(s) une source de guérison
des maladies de l'âme et du corps, de délivrance et
de protection de toutes calamités des ennemis, et
fais que leurs prières te soient agréables. A haute
voix : Par la miséricorde de ton Fils unique, qui
est né d'elle dans la chair, notre Seigneur Jésus-
Christ, avec lequel tu es béni, avec ton très saint
Esprit, bon et vivifiant, maintenant et toujours, et
dans les siècles des siècles.*

Chœur : *Amen.*

Ensuite aspersion de l'icône et récitation à trois
reprises de la prière : *Cette icône est bénie...*

Puis on chante des prières très connues des fidèles byzantins [4] :

*C'est sous ta miséricorde que nous nous réfu-
gions, Mère de Dieu ; ne dédaigne pas nos suppli-
cations au milieu de nos tribulations, mais délivre-
nous des dangers, ô seule pure, seule bénie.*

*Vierge Mère de Dieu, Marie pleine de grâce,
réjouis-toi ; le Seigneur est avec toi, tu es bénie
entre les femmes et le fruit de ton sein est béni, car
tu as mis au monde le Sauveur de nos âmes.*

*Il est digne en vérité de te célébrer, ô Mère de
Dieu, bienheureuse et très pure et Mère de notre
Dieu, toi plus vénérable que les Chérubins et plus*

---

4. On reconnaît dans la première le *Sub tuum praesi-
dium...*, dans la seconde l'*Ave Maria* avec au début une
expression de plus grand respect et sans la deuxième
partie, ajoutée au Moyen Age. La troisième est la prière
mariale le plus souvent récitée dans l'Orient Byzantin.

glorieuse incomparablement que les Séraphins, toi, qui, sans tache, enfantas Dieu le Verbe, toi véritablement Mère de Dieu, nous t'exaltons !

D. Bénédiction d'une ou plusieurs icônes de saints.

Elle débute comme en A, puis on lit le psaume 138, Le prêtre lit la prière déjà donnée : *Seigneur, Dieu Tout-Puissant, Dieu de nos Pères...* dont change la partie centrale : *... icône dessinée et peinte en l'honneur de ton saint (nom) et bénis-la de ta bénédiction céleste et sanctifie-la, ainsi que ceux qui la vénéreront... etc. Rends-les dignes de ta grâce et de ta miséricorde par la prière de ton saint (nom). Car tu es la source de notre sanctification, et le dispensateur de grâce, et nous te rendons gloire avec ton Fils unique et ton très saint Esprit, bon et vivifiant, maintenant et toujours et dans les siècles des siècles.*

Chœur : *Amen.* Puis comme précédemment : *Paix à tous... Inclinez...*

Prêtre à voix basse : *Seigneur notre Dieu qui as créé l'homme à ton image et à ta ressemblance, nous te prions, envoie ta grâce, bénis et sanctifie par l'aspersion de cette eau sainte cette icône (ces icônes) peinte(s) à ta gloire, en l'honneur et la mémoire de ton saint (nom) devant laquelle nous t'apportons nos prières, bénis-nous et rends-nous dignes de trouver grâce devant toi. A haute voix : Par la grâce, la miséricorde et l'amour des hommes de ton Fils unique, avec lequel tu es béni, ainsi que ton très saint Esprit, bon et vivifiant, maintenant et toujours, et dans les siècles des siècles.*

Chœur : *Amen.*

Puis suit l'aspersion et le prêtre récite 3 fois la prière : *Cette icône (icônes) est bénie...*

On lit ensuite le Tropaire et le Kontakion du saint et en terminant le prêtre mentionne le saint représenté sur l'icône.

Prières pour la fête des icônes ou de l'orthodoxie

Voici quelques prières de l'office propre avec référence aux icônes.

Le Tropaire principal : *Devant ta sainte icône...* a déjà été donné, page 83.

Le Kontakion : *Le Verbe du Père*, l'a été page 72.

Extrait des Petites Vêpres [1] :

Comme le dit saint Basile, la vénération de l'icône nous amène à son prototype ; en conséquence honorons les images du Christ Sauveur et de tous les saints, afin que sous leur conduite nous ne soyons plus jamais coupables d'impiété.

Extrait des Grandes Vêpres :

Toi qui par nature divine n'as point de fin, en ces derniers temps tu as daigné, Seigneur, connaître les limites de la chair et par ton incarnation tu assumas de la nature humaine tous les aspects ; et l'image de ta ressemblance, nous l'inscrivons pour la vénérer dignement et nous élever jusqu'à ton amour où nous puisons la grâce du salut, suivant la sainte tradition de tes Apôtres.

C'est une parure de grand prix que l'Eglise du Christ a reçue dans les saintes icônes du Sauveur, de la Mère de Dieu et de tous les saints ; en les exposant hautement, elle brille de splendeur et d'éclat, tout en repoussant les hérésies, et dans l'allégresse elle glorifie le Dieu qui par amour pour nous a daigné souffrir librement sa Passion.

---

1. Toutes les prières données ici sont extraites du *Triodon*, livre liturgique byzantin, utilisé en Carême. Les Petites Vêpres, comme le dit bien le nom lui-même, forment un office assez bref qui, dans quelques monastères, précédaient les Grandes Vêpres. Pratiquement, seules ces dernières sont encore en usage.

*La grâce de la vérité a resplendi : ce qui jadis
était obscurément préfiguré, maintenant s'accom-
plit au grand jour ; voici que l'Eglise revêt comme
un céleste ornement l'image corporelle du Christ que
la tente du témoignage avait préfigurée ; elle maintient la vraie foi, afin que nous ayons l'image sans
défaut de celui que nous vénérons. Honte à ceux
qui pensent autrement, car nous nous glorifions en
l'image du Verbe incarné, que nous adorons sans
la diviniser. Vénérons-la, fidèles, et chantons : O
Dieu, sauve ton peuple et bénis ton héritage.*

*Nous qui avons rejeté les ténèbres de l'impiété
et que la lumière de la connaissance a illuminés,
chantons des psaumes d'acclamation ; que notre
louange et notre action de grâce montent vers Dieu !
Et devant les saintes icônes du Christ, de la Mère
de Dieu et de tous les saints, prosternons-nous avec
respect, en rejetant l'impiété de ceux qui n'ont pas
la vraie foi ; car saint Basile le dit : la vénération
de l'icône rejaillit sur celui qui est représenté. Par
les prières de ta Mère immaculée et l'intercession
de tous les saints nous te demandons, ô Christ notre
Dieu, de nous accorder la grâce du salut.*

Extrait de l'Office du matin (Orthros)

*Le glaive de l'hérésie a disparu et nous éprou-
vons une sainte joie lorsque nous voyons pieuse-
ment ton temple, ô Vierge immaculée, tout orné
de saintes images.*

*O Vierge, sois le rempart et la ferme protection
de ceux qui vénèrent ta sainte icône avec amour et,
te proclamant véritablement Mère de Dieu, fidèlement se prosternent devant toi.*

*Dans la sainte figuration des icônes du Christ et
de la Mère de Dieu nous voyons brillamment représentés les célestes parvis et nous exultons d'une
sainte joie.*

*Seul Seigneur de bonté et source de tout bien, ô
Christ, relève le front des chrétiens orthodoxes qui
vénèrent ta sainte image.*

*O Christ, inaltérable icône du Père, par les priè-
res de tes saints confesseurs, aie pitié de nous.
Amen.*

*Suivant la tradition de nos Pères saints, nous
peignons des images et vénérons de bouche, de
cœur et d'esprit les icônes du Christ et de tous
les saints, nous écriant : Bénissez le Seigneur,
toutes les œuvres du Seigneur.*

*Contemplant l'Eglise ornée de nouveau des sain-
tes images représentées, nous accourons avec piété,
et nous crions joyeusement : Seigneur trois fois
saint, nous te magnifions.*

*Exposant, Seigneur, ton image corporelle pour
la vénérer, nous annonçons le grand mystère de ton
œuvre de salut ; ô Christ ami des hommes, tu t'es
montré à nos yeux non sous une simple apparence,
comme les Manichéens le croient faussement, mais
en la réalité de la chair dont la nature nous conduit
vers ton amour.*

*C'est aujourd'hui jour d'allégresse et de joie,
puisque brille l'enseignement de la vérité ; l'Eglise
du Christ resplendit de l'éclat des saintes images
exposées et la concorde règne parmi les croyants.*

Un autre canon réservé à la procession des saintes
icônes se trouve dans quelques livres liturgiques
orthodoxes [2]. On lit parfois encore aujourd'hui le
Synodikon du VIIe Concile qui, après un remercie-
ment d'introduction adressé à Dieu pour « l'anni-
versaire de la restauration de l'Eglise de Dieu » et
un rappel des événements historiques, proclame
bénédictions ou malédictions :

*A ceux qui confessent de bouche, de cœur et
d'esprit, par la parole, la peinture et les icônes, la
venue dans la chair du Verbe de Dieu : éternelle
mémoire !*

*... A ceux qui croient, déclarent ou annoncent les
paroles en écrits et les choses en figures ; et pen-*

---

2. Dans les livres grecs et non dans les slaves. Traduction française donnée dans Triode de Carême, par P. DENIS
GUILLAUME, Rome, 1978, p. 314-320.

sent qu'il est aussi utile de prêcher par les paroles que de confirmer la vérité par les icônes : éternelle mémoire !

A ceux qui sanctifient leurs lèvres par la parole, puis les auditeurs par la même parole, et savent et déclarent que les yeux des spectateurs sont de même sanctifiés par les saintes icônes et que par elles leur esprit est amené à la connaissance de Dieu, comme par le saint temple, les vases sacrés et autres saints objets : éternelle mémoire !

... A Germain, Taraise, Nicéphore et Méthode, vrais Pontifes de Dieu, champions et docteurs de l'orthodoxie : éternelle mémoire !

Suivent les bénédictions pour des personnes singulièrement nommées dont : « *Théodore, le vénérable higoumène de Studion* » et « *tous les hérauts de la vérité* »...

Pour finir « *éternelle mémoire* » est faite de « *Constantin et sa Mère Irène et tous nos pieux empereurs orthodoxes qui ont échangé le règne terrestre pour le royaume des cieux* » et « *Michel empereur orthodoxe et sa Mère Théodora* »[3] « *qui restaura courageusement l'orthodoxie et la vénération des saintes icônes* ».

Une supplique adressée à Dieu conclut le texte[4].

---

3. Voir p. 68 et suivantes le rôle tenu par ces personnes dans la querelle iconoclaste.
4. Dans le livre déjà cité (note 2), p. 320-325, le traducteur note que dans les Triodes le *Synodikon* a diverses longueurs. On ne le trouve généralement pas dans les éditions slaves.

Schéma d'une iconostase classique :

1. Le Christ ; 2. La Vierge ; 3. Saint Jean-Baptiste ;
4. Anges ; 5. Saints ; 6. Série des fêtes ; 7-8 Apôtres
et Prophètes.

A. Annonciation ; E. Evangélistes ; C. Le Christ ;
M. La Vierge Marie.

TABLE DES MATIERES

Achevé d'imprimer le 2 mai 1988
Imprimerie S.E.G. Châtillon-sous-Bagneux (92320)

Numéro d'éditeur : 121
Numéro d'impression : 4045
Dépôt légal : juin 1988